Les
aux
ctes
eurs
des arbres
du Québec

Gouvernement du Québec
Ministère de l'Énergie et des Ressources
Service d'entomologie
et de pathologie

ER1-3294-8
(79-08)

Ouvrage réalisé sous la direction de:

— René Béïque
— Gilles Bonneau
Ministère de l'Énergie et des Ressources
Direction de la Conservation
Service d'Entomologie et de Pathologie
Complexe scientifique du Québec
2700, rue Einstein, Sainte-Foy, Québec

Coordination et révision:

— Réal Desaulniers

Photographie:
— Lina Breton

Collaboration:
— Diane Paré-Boulay
— Céline Piché
— Lucie Marchand

Publié et diffusé par:
— Service de l'Information
Ministère de l'Énergie et des Ressources
200b, chemin Sainte-Foy, Québec

Dépôt légal — 3e trimestre 1979
Bibliothèque nationale du Québec

ISBN 2-551-03428-0

PRÉFACE

On porte depuis quelques années un intérêt de plus en plus grand au milieu forestier québécois. Le monde des insectes constitue une partie intégrante de cet environnement. Par la publication de cette brochure sur les principaux insectes défoliateurs des arbres du Québec, le Service d'entomologie et de pathologie désire fournir un guide permettant d'acquérir une meilleure connaissance d'une catégorie importante de la faune entomologique de nos forêts, soit les insectes qui se nourrissent du feuillage de nos essences forestières.

Ce fascicule, format de poche, se veut avant tout un manuel pratique pour l'entomologiste amateur et le naturaliste. Pour en simplifier l'usage, l'on s'est limité aux espèces les plus importantes ou le plus communément rencontrées. Étant donné qu'il ne s'adresse pas tant à des spécialistes qu'à des amateurs, l'on a évité à dessein les notions trop techniques, pour s'en tenir aux caractéristiques les plus faciles à observer. L'identification des espèces est de plus facilitée par des photographies en couleur.

Cet ouvrage de vulgarisation permettra au lecteur de faire une identification sommaire des principaux insectes forestiers défoliateurs et de prendre conscience de l'importance de ce monde des insectes, dont l'abondance et la diversité sont une source d'étonnement et de préoccupation tant pour le forestier que pour le public en général. La parution de ce guide vient à point nommé, car elle permettra aux amants de la nature de mieux connaître le milieu forestier et de réaliser davantage l'importance de sa conservation.

GÉRARD PAQUET, B.A., ing. f., M.Sc., M.F.
Ex-directeur
Service d'entomologie et de pathologie

INTRODUCTION

Le monde des insectes, incroyablement vaste et diversifié, étonne autant l'amateur que le spécialiste. Pour le naturaliste qui désire communiquer davantage avec la forêt, la parution de ce petit guide entomologique constitue certes un événement heureux. Aussi, malgré le contenu succinct de cet ouvrage de vulgarisation, c'est avec joie et fierté que l'équipe du laboratoire d'entomologie l'offre aujourd'hui au grand public.

La majorité des insectes défoliateurs des arbres d'ornement ou des forêts du Québec sont des larves de papillons diurnes (butterflies) ou nocturnes (moths) et de tenthrèdes ou diprions aussi appelées mouches à scie (sawflies). Dans la majorité des cas, les caractéristiques des larves reproduites sur les photos et données dans les clés d'identification décrivent le dernier âge larvaire, soit celui où l'insecte s'alimente encore. Les descriptions dans les clés ont été volontairement réduites et voulues très schématiques tout en utilisant une terminologie simple et compréhensible pour le public en général.

Dans un premier temps, le lecteur pourra se familiariser avec une clé illustrée du stade larvaire des insectes appartenant aux trois principaux ordres représentés dans ce guide soit: Lépidoptères, Hyménoptères et Coléoptères. Il pourra noter le nombre de fausses pattes et leur position sous l'abdomen, cinq paires ou moins chez les Lépidoptères, plus de cinq paires chez les Hyménoptères et absence de fausses pattes chez les Coléoptères. Lorsqu'il aura établi l'ordre auquel le spécimen appartient, il tentera dans un deuxième temps, après un examen attentif, de placer l'insecte dans l'une ou l'autre des catégories illustrées dans la clé de cet ordre. Il vérifiera, par la suite, si la larve correspond à la description donnée; à l'intérieur de chaque catégorie, les insectes immatures sont groupés par analogie de couleurs et de formes.

Même si ce guide entomologique cherche surtout à familiariser le public avec le stade larvaire des principaux insectes défoliateurs des arbres du Québec, on y a également ajouté, pour plusieurs espèces, la photographie de l'insecte adulte et, pour certaines autres, l'illustration des dommages qu'elles peuvent causer.

Pour chaque espèce d'insectes apparaissant dans ce guide, on indique les hôtes sur lesquels nous les rencontrons le plus souvent au stade immature. Les essences préférées par les larves sont imprimées en caractère gras. Par ailleurs, l'illustration de la période d'activité des larves et des adultes comporte, pour certains insectes un trait renforcé pour indiquer la période au cours de laquelle on les rencontre le plus souvent au stade larvaire.

Le lecteur trouvera, à l'index I, la liste des principaux insectes défoliateurs selon les essences forestières et, enfin, la liste alphabétique des noms français et latins des 113 espèces d'insectes défoliateurs des arbres du Québec illustrées dans cet ouvrage.

TABLE DES MATIÈRES

PRÉFACE

INTRODUCTION

CLÉS ILLUSTRÉES DES LARVES

Ordres d'insectes 11
Lépidoptères 12
Hyménoptères 14
Coléoptères 15

LES LÉPIDOPTÈRES

Larves mineuses 19
Chenilles à tente 27
Larves lieuses, enrouleuses 33
Larves libres sur le feuillage, poilues, avec pinceaux 51
Larves libres sur le feuillage, poilues, sans pinceaux 63
Larves libres sur le feuillage, non poilues, deux paires de fausses pattes (arpenteuses), avec filaments ou épine(s) sur le dos 73
Larves libres sur le feuillage, non poilues, deux paires de fausses pattes (arpenteuses), sans filaments ou épine(s) sur le dos 77
Larves libres sur le feuillage, non poilues, cinq paires de fausses pattes ou moins, avec corne(s), épine(s) ou bosse(s) sur le dos 99
Larves libres sur la feuillage, non poilues, cinq paires de fausses pattes ou moins, sans corne(s), épine(s) ou bosse(s) sur le dos 111

LES HYMÉNOPTÈRES

Larves mineuses 139
Larves libres sur les feuillus 145
Larves libres sur les conifères 149

LES COLÉOPTÈRES

Larve mineuse 165
Larve libre sur le feuillage 169

BIBLIOGRAPHIE **173**

INDEX I — Principaux insectes défoliateurs selon les essences forestières 175

INDEX II — Principaux insectes défoliateurs des arbres du Québec 183

Clé illustrée des larves des ordres d'insectes

Cinq paires ou moins de fausses pattes sous l'abdomen

Lépidoptères
(cf. pp. 12 et 13)

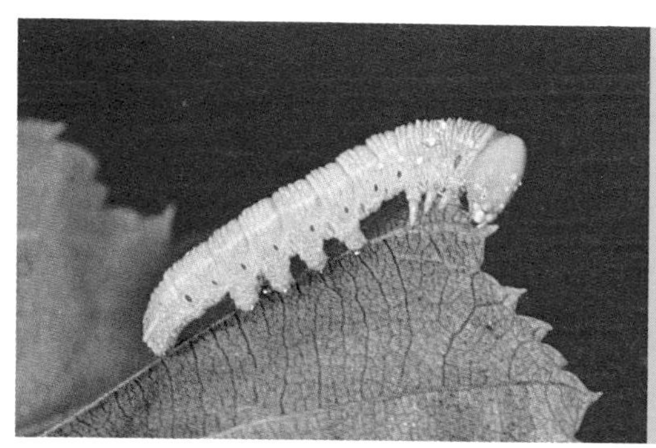

Plus de cinq paires de fausses pattes sous l'abdomen

Hyménoptères
(cf. p. 14)

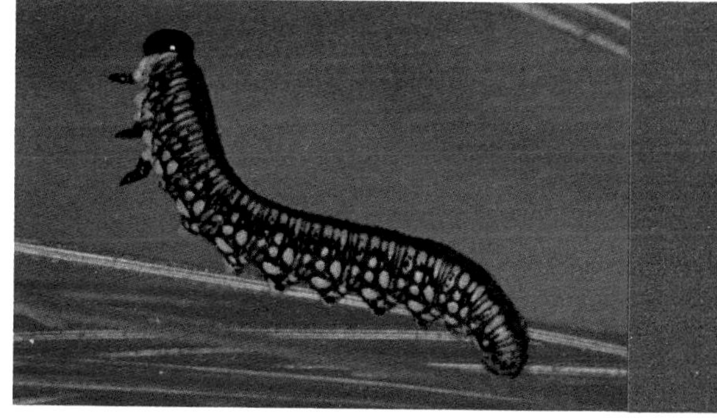

Absence de fausses pattes sous l'abdomen

Coléoptères
(cf. p. 15)

Clé illustrée des larves de **lépidoptères**

Larves mineuses
(cf. pp. 19 à 25)

Chenilles à tente
(cf. pp. 27 à 32)

Larves lieuses, enrouleuses
(cf. pp. 33 à 49)

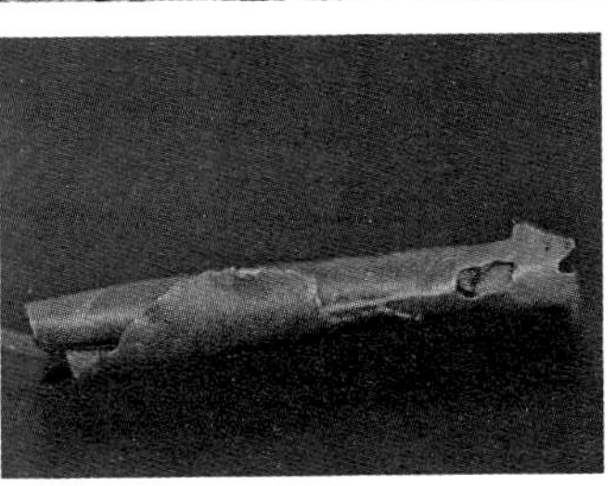

Larves libres sur le feuillage

Poilues

avec pinceaux
(cf. pp. 51 à 61)

sans pinceaux
(cf. pp. 63 à 72)

Non poilues

deux paires de fausses pattes (arpenteuses)

avec filaments ou épine(s) sur le dos
(cf. pp. 73 à 76)

sans filaments et sans épine(s) sur le dos
(cf. pp. 77 à 97)

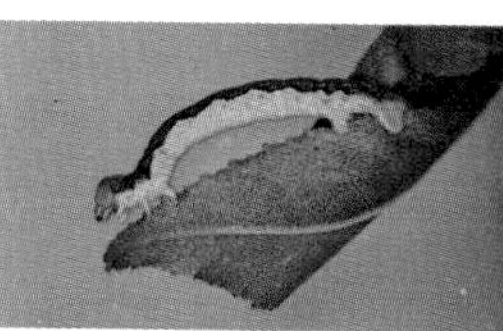

cinq paires ou moins de fausses pattes

avec corne(s), épine(s) ou bosse(s) sur le dos
(cf. pp. 99 à 110)

sans corne(s), épine(s) ou bosse(s) sur le dos
(cf. pp. 111 à 135)

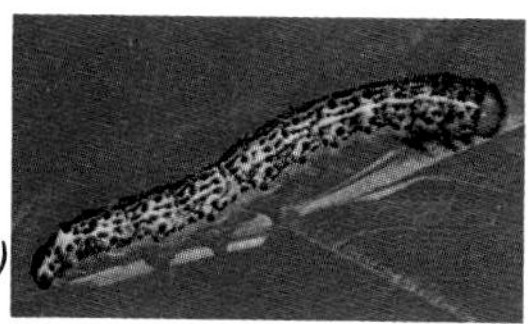

Clé illustrée des larves d'**hyménoptères**

Larves mineuses
(cf. pp. 139 à 143)

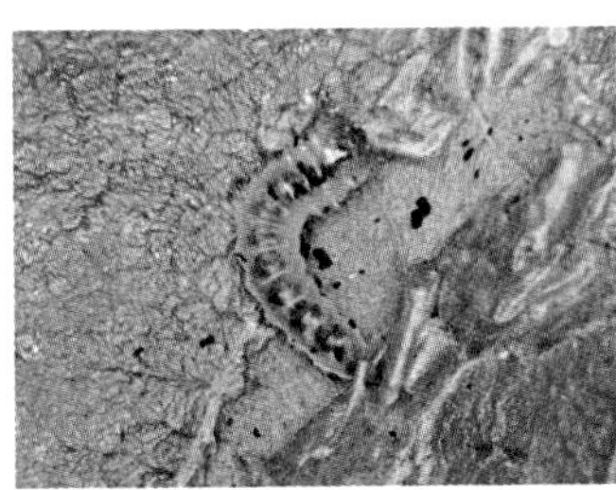

Larves libres

sur les feuillus
(cf. pp. 145 à 148)

sur les conifères
(cf. pp. 149 à 161)

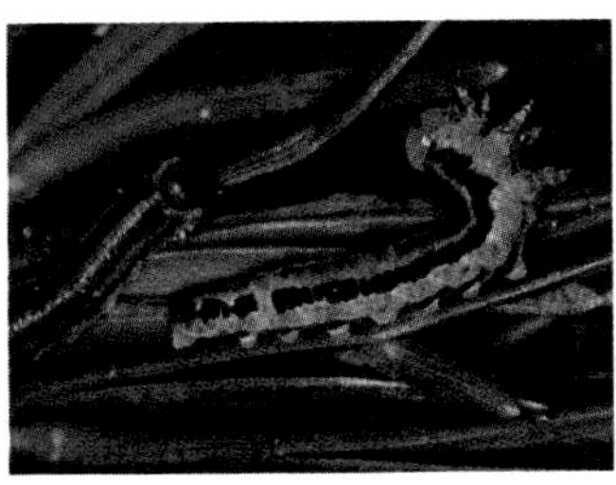

Clé illustrée des larves de **coléoptères**

Larve mineuse
(cf. pp. 165 à 167)

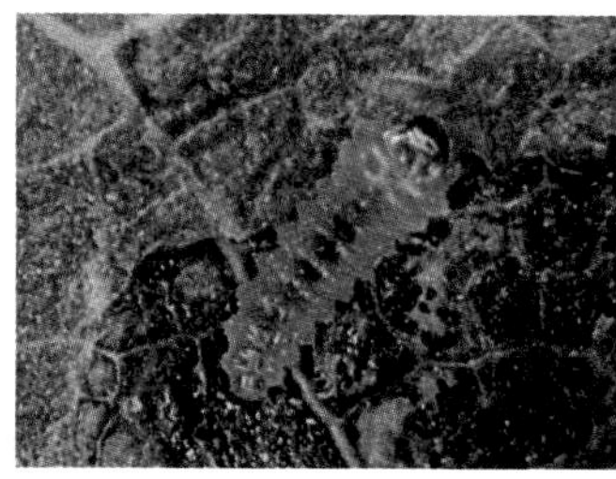

Larve libre
sur le feuillage
(cf. pp. 169 à 171)

les lépidoptères

Larves mineuses

Mineuse de l'érable

Lithocolletis aceriella Clem. (Gracillariidae)
Hôtes feuillus: **érables**

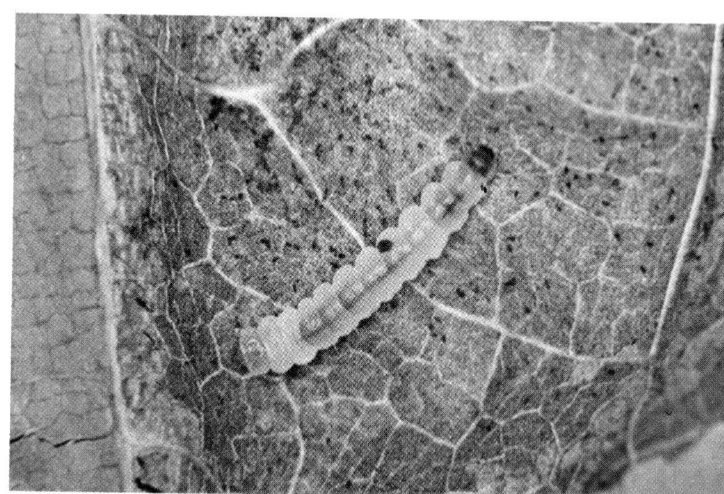

Période d'activité	Mai	Juin	Juil.	Août	Sept.	Oct.
Larves			—	━━	—	
Adultes						

Mineuse des feuilles du tremble

Phyllocnistis populiella (Chamb.) (Lyonetiidae)

Hôtes feuillus: **peupliers**

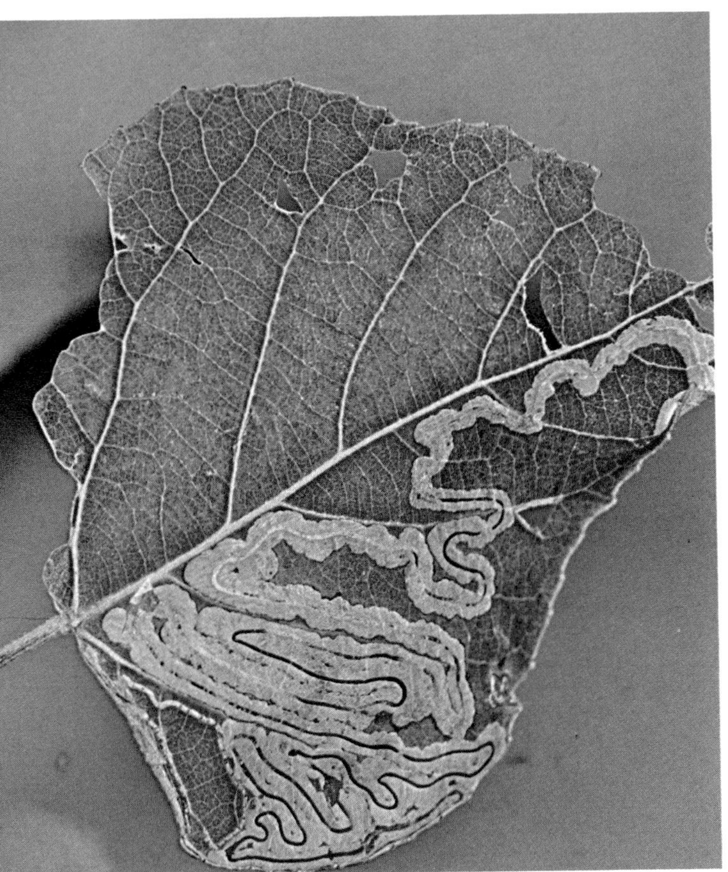

Période d'activité	Mai	Juin	Juil.	Août	Sept.	Oct.
Larves						
Adultes						

Porte-case du bouleau

Coleophora fuscedinella (Zell.) (Coleophoridae)

Hôtes feuillus: **bouleaux**

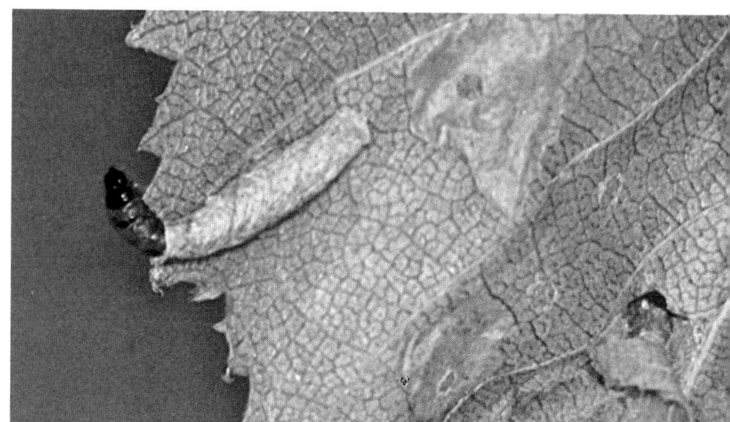

Période d'activité	Mai	Juin	Juil.	Août	Sept.	Oct.
Larves	—	—		—	—	
Adultes		—	—			

Porte-case du mélèze

Coleophora laricella (Hbn.) (Coleophoridae)

Hôtes résineux: **mélèze**

Période d'activité	Mai	Juin	Juil.	Août	Sept.	Oct.
Larves	———	———				
Adultes		———	———			

Mineuse rosée de l’épinette

Pulicalvaria piceaella Kft. (Gelechiidae)

Hôtes résineux: **épinettes**

Période d’activité	Mai	Juin	Juil.	Août	Sept.	Oct.
Larves						
Adultes						

Chenilles à tente

Livrée d'Amérique

Malacosoma americanum (F.) (Lasiocampidae)

Hôtes feuillus: **cerisiers,** bouleaux, ormes, peupliers, saules

♀ ♂

Période d'activité	Mai	Juin	Juil.	Août	Sept.	Oct.
Larves						
Adultes						

Livrée de l'ouest

Malacosoma californicum pluviale (Dyar)
(Lasiocampidae)
Hôtes feuillus: **cerisiers,** bouleaux, peupliers, saules

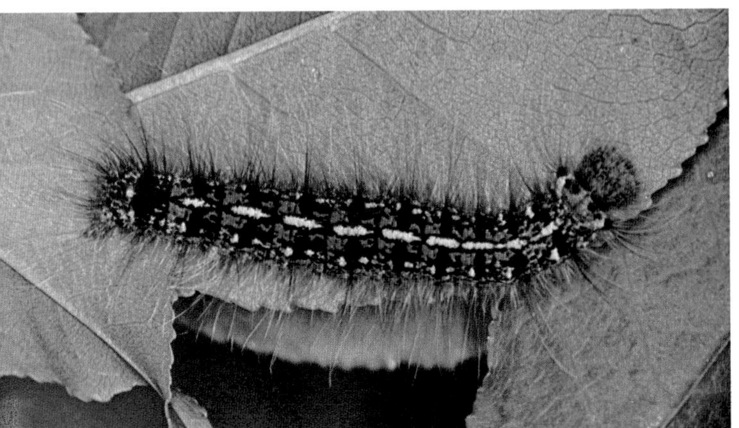

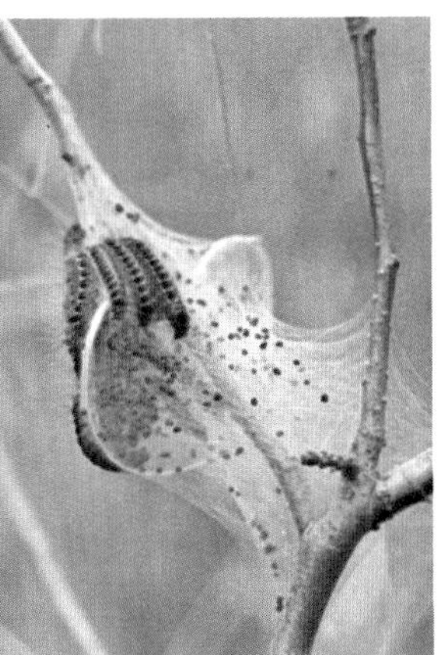

Période d'activité	Mai	Juin	Juil.	Août	Sept.	Oct.
Larves						
Adultes						

Chenille à tente estivale

Hyphantria cunea (Drury) (Arctiidae)

Hôtes feuillus: **bouleaux,** cerisiers, ormes, peupliers, saules

Période d'activité	Mai	Juin	Juil.	Août	Sept.	Oct.
Larves						
Adultes						

Tordeuse du cerisier

Archips cerasivoranus (Fitch) (Tortricidae)

Hôtes feuillus: **cerisiers**

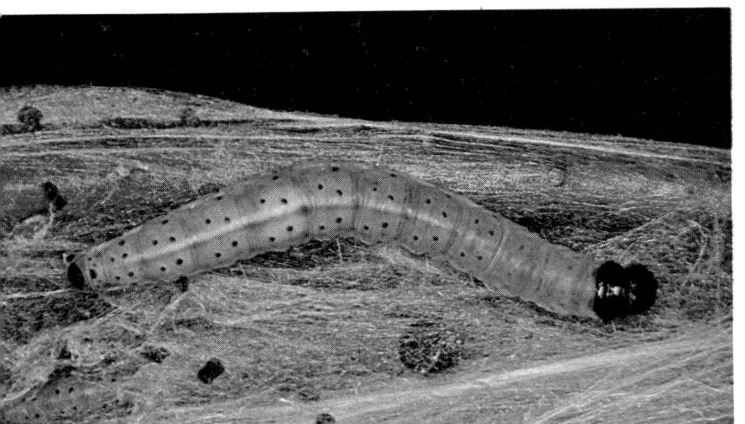

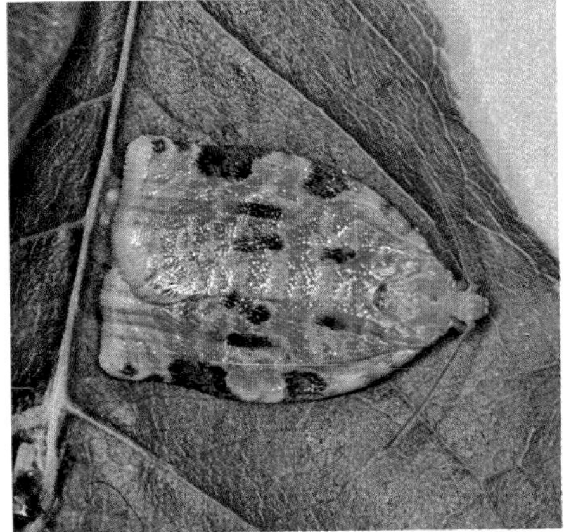

Période d'activité	Mai	Juin	Juil.	Août	Sept.	Oct.
Larves	—	—	—			
Adultes			—	—	—	

Larves lieuses, enrouleuses

Enrouleuse à tête noire

Anacampsis innocuella Zell. (Gelechiidae)
Hôtes feuillus: **peupliers,** bouleaux

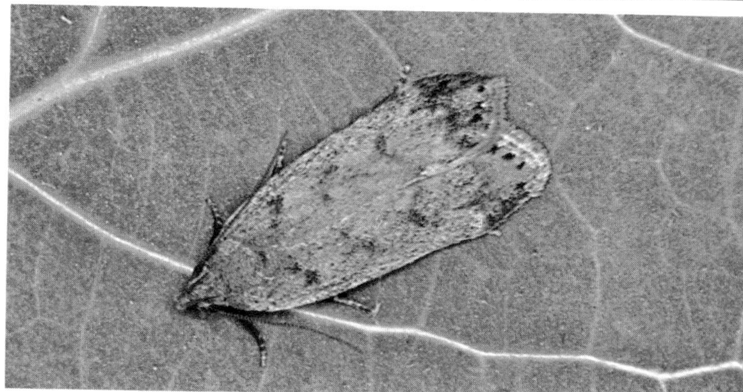

Période d'activité	Mai	Juin	Juil.	Août	Sept.	Oct.
Larves						
Adultes						

Enrouleuse à tête brune

Compsolechia niveopulvella Chamb. (Gelechiidae)
Hôtes feuillus: **peupliers,** saules

Période d'activité	Mai	Juin	Juil.	Août	Sept.	Oct.
Larves						
Adultes						

Oecophore du bouleau

Depressaria betulella Busck (Oecophoridae)
Hôtes feuillus: **bouleaux**

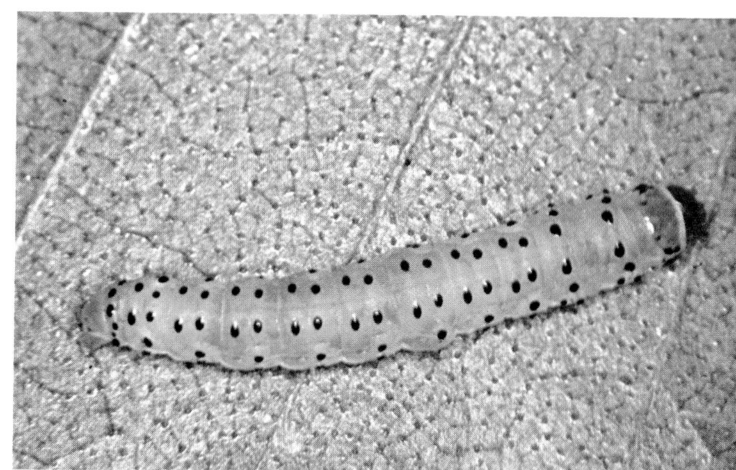

Période d'activité	Mai	Juin	Juil.	Août	Sept.	Oct.
Larves						
Adultes						

Tortricide des bouleaux

Acleris logiana L. (Tortricidae)
Hôtes feuillus: **bouleaux**

Période d'activité	Mai	Juin	Juil.	Août	Sept.	Oct.
Larves						
Adultes						

Enrouleuse du peuplier

Sciaphila duplex Wlshm. (Olethreutidae)
Hôtes feuillus: **peupliers,** bouleaux

Période d'activité	Mai	Juin	Juil.	Août	Sept.	Oct.
Larves						
Adultes						

Tordeuse à bandes obliques

Choristoneura rosaceana (Harr.) (Tortricidae)

Hôtes feuillus: **peupliers,** bouleaux, érables, saules

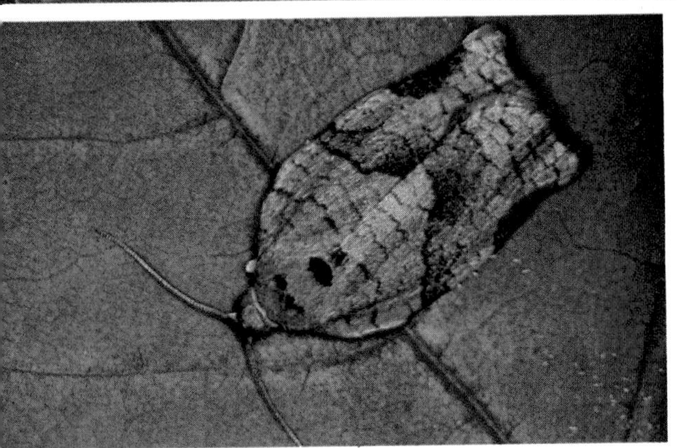

Période d'activité	Mai	Juin	Juil.	Août	Sept.	Oct.
Larves						
Adultes						

Enrouleuse de l'érable

Cenopis acerivorana Mack. (Tortricidae)
Hôtes feuillus: **érables**

Période d'activité	Mai	Juin	Juil.	Août	Sept.	Oct.
Larves						
Adultes						

Tordeuse du pommier

Archips argyrospilus (Wlk.) (Tortricidae)

Hôtes feuillus: **bouleaux,** chênes, érables, peupliers, saules

Période d'activité	Mai	Juin	Juil.	Août	Sept.	Oct.
Larves	——	━━━	———			
Adultes		——	———			

Enrouleuse à traits noirs

Acleris nigrolinea Rob. (Tortricidae)

Hôtes feuillus: **peupliers,** saules

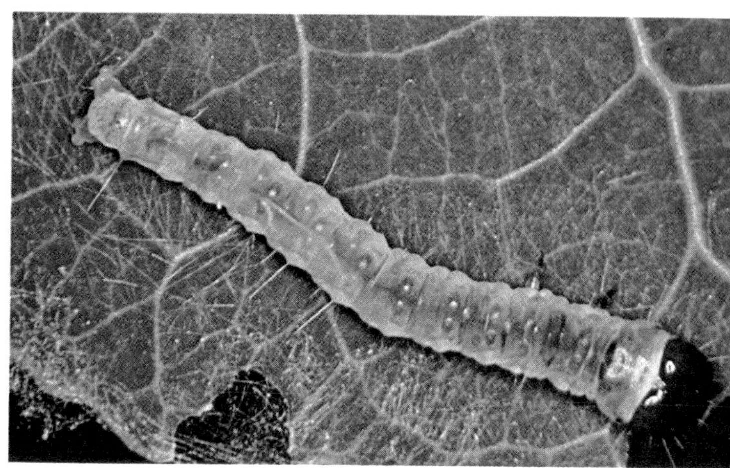

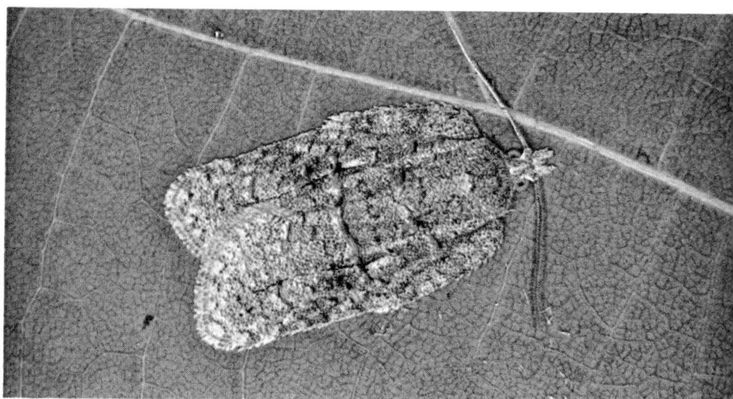

Période d'activité	Mai	Juin	Juil.	Août	Sept.	Oct.
Larves		———	———	——		
Adultes		———				

Tordeuse du tremble

Choristoneura conflictana (Wlk.) (Tortricidae)

Hôtes feuillus: **peupliers**

Période d'activité	Mai	Juin	Juil.	Août	Sept.	Oct.
Larves	—	▬—				
Adultes		—	—			

Enrouleuse du tremble

Meroptera pravella (Grote) (Pyralidae)
Hôtes feuillus: **peupliers**

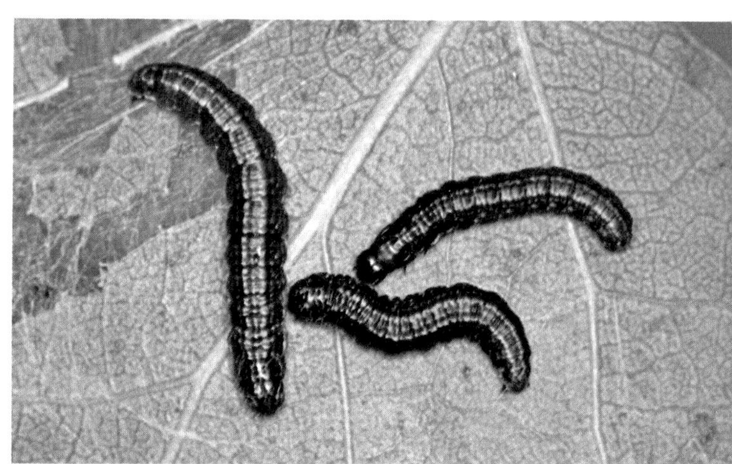

Période d'activité	Mai	Juin	Juil.	Août	Sept.	Oct.
Larves						
Adultes						

Pyrale tubicole du bouleau

Acrobasis betulella Hulst (Pyralidae)

Hôtes feuillus: **bouleaux**

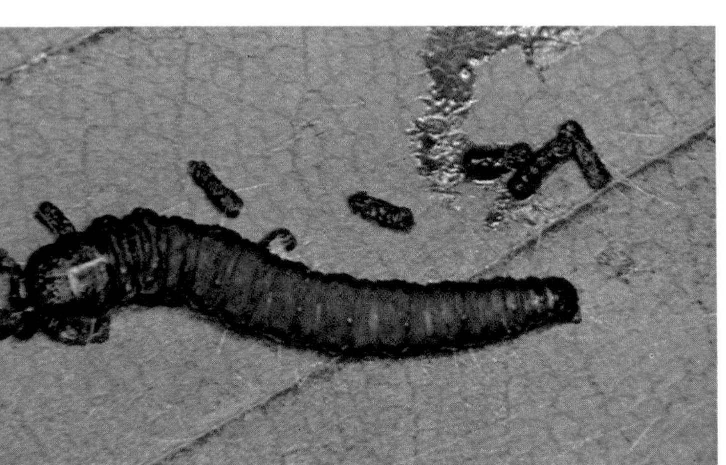

Période d'activité	Mai	Juin	Juil.	Août	Sept.	Oct.
Larves						
Adultes						

Squeletteuse-trompette de l'érable

Epinotia aceriella Clem. (Olethreutidae)
Hôtes feuillus: **érables**

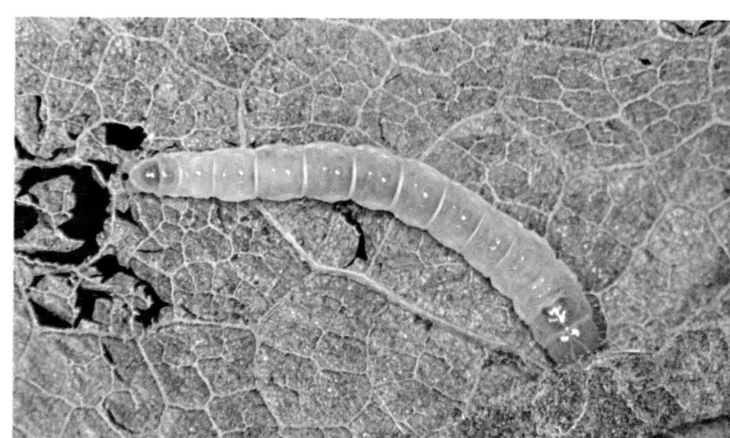

Période d'activité	Mai	Juin	Juil.	Août	Sept.	Oct.
Larves						
Adultes						

Tordeuse de l'épinette

Zeiraphera canadensis Mut. et Free. (Olethreutidae)
Hôtes résineux: **épinettes,** sapin

Période d'activité	Mai	Juin	Juil.	Août	Sept.	Oct.
Larves						
Adultes						

Tordeuse à tête noire de l'épinette

Acleris variana (Fern.) (Tortricidae)

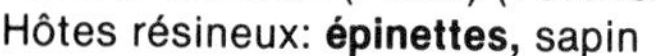

Hôtes résineux: **épinettes,** sapin

Période d'activité	Mai	Juin	Juil.	Août	Sept.	Oct.
Larves		—	—	—		
Adultes			—	—		

Larves libres sur le feuillage, poilues, avec pinceaux

Chenille à houppes rousses

Orgyia antiqua (L.) (Lymantriidae)

Hôtes feuillus: bouleaux, chênes, érables, frênes, ormes, peupliers, saules

Hôtes résineux: **sapin,** épinettes, mélèze, pins, pruche

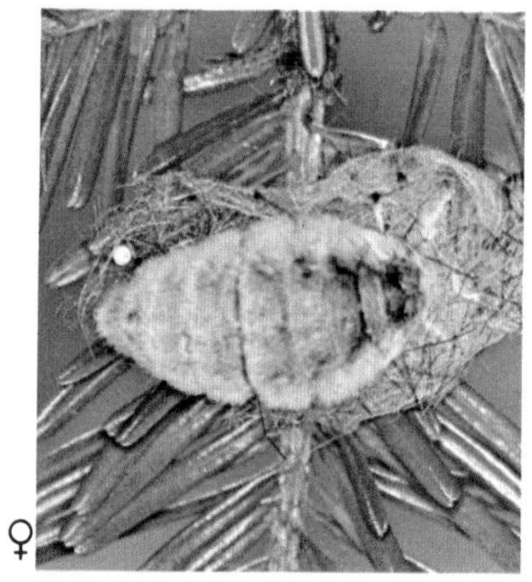

♀

♂

Période d'activité	Mai	Juin	Juil.	Août	Sept.	Oct.
Larves						
Adultes						

Chenille à houppes grises de l'épinette

Orgyia plagiata (Wlk.) (Lymantriidae)

Hôtes feuillus: bouleaux, chênes, ormes, peupliers
Hôtes résineux: épinettes, pins, sapin

Période d'activité	Mai	Juin	Juil.	Août	Sept.	Oct.
Larves		—	—	—		
Adultes			—	—	—	

Chenille à houppes blanches

Orgyia leucostigma (J.E. Smith) (Lymantriidae)

Hôtes feuillus: bouleaux, cerisiers, chênes, érables, frênes, hêtre, ormes, peupliers, saules, sorbier

Hôtes résineux: **sapin,** épinettes, mélèze, pins

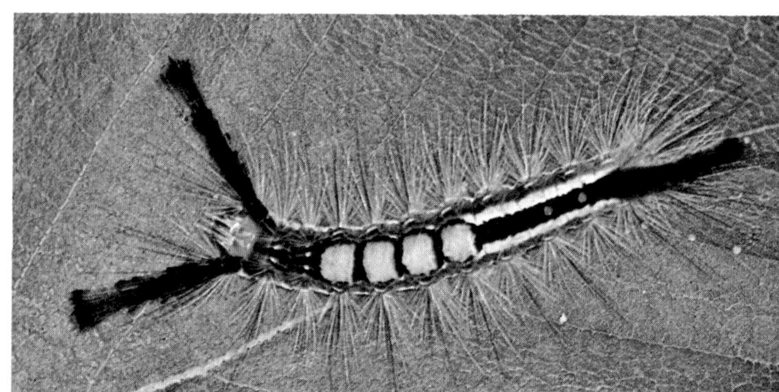

Période d'activité	Mai	Juin	Juil.	Août	Sept.	Oct.
Larves		—	—	—		
Adultes				—	—	

Chenille à houppes du pin

Dasychira plagiata (Wlk.) (Lymantriidae)

Hôtes résineux: **épinettes,** mélèze, pins, sapin

Période d'activité	Mai	Juin	Juil.	Août	Sept.	Oct.
Larves						
Adultes						

Noctuelle marbrée de l'épinette

Panthea acronyctoides (Wlk.) (Noctuidae)
Hôtes résineux: **sapin,** épinettes, mélèze, pins

Période d'activité	Mai	Juin	Juil.	Août	Sept.	Oct.
Larves						
Adultes						

Noctuelle du pin blanc

Panthea furcilla Pack. (Noctuidae)
Hôtes résineux: pins

Période d'activité	Mai	Juin	Juil.	Août	Sept.	Oct.
Larves						
Adultes						

Acronycte du tremble

Acronicta lepusculina Guen (Noctuidae)
Hôtes feuillus: **peupliers,** bouleaux, saules

Période d'activité	Mai	Juin	Juil.	Août	Sept.	Oct.
Larves						
Adultes						

Acronycte d'Amérique

Acronicta americana (Harr.) (Noctuidae)

Hôtes feuillus: bouleaux, érables

Période d'activité	Mai	Juin	Juil.	Août	Sept.	Oct.
Larves						
Adultes						

Acronycte de l'aulne

Acronicta dactylina (Grote) (Noctuidae)
Hôtes feuillus: **bouleaux,** peupliers, saules

Période d'activité	Mai	Juin	Juil.	Août	Sept.	Oct.
Larves						
Adultes						

Larves libres sur le feuillage, poilues, sans pinceaux

Livrée des forêts

Malacosoma disstria Hbn. (Lasiocampidae)

Hôtes feuillus: **peupliers,** bouleaux, cerisiers, chênes, érables, frênes, hêtre, ormes, saules, sorbier

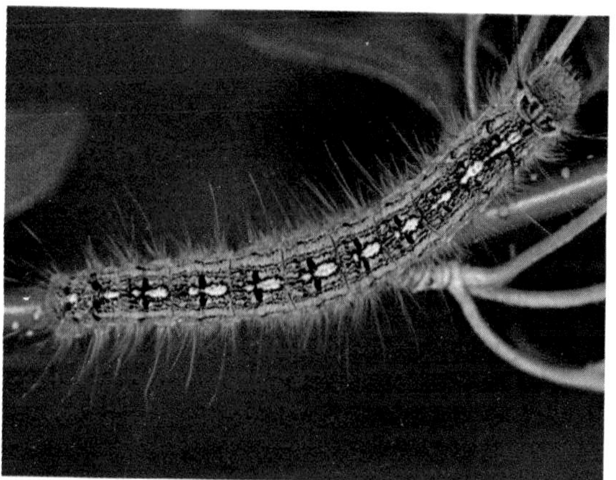

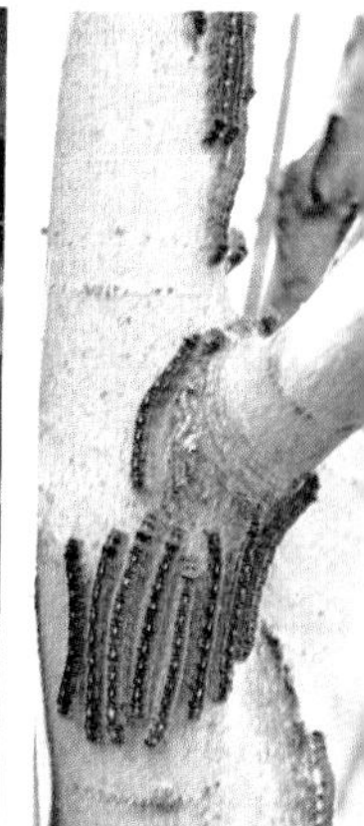

♀

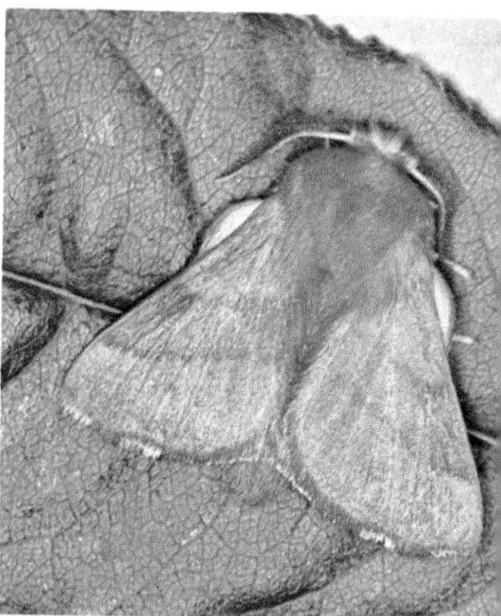

♂

Période d'activité	Mai	Juin	Juil.	Août	Sept.	Oct.
Larves						
Adultes						

Spongieuse

Lymantria dispar (L.) (Lymantriidae)

Hôtes feuillus: **chênes,** bouleaux, cerisiers, érables, frênes, hêtre, ormes, peupliers, saules, sorbier

Hôtes résineux: épinettes, mélèze, pins, pruche, sapin

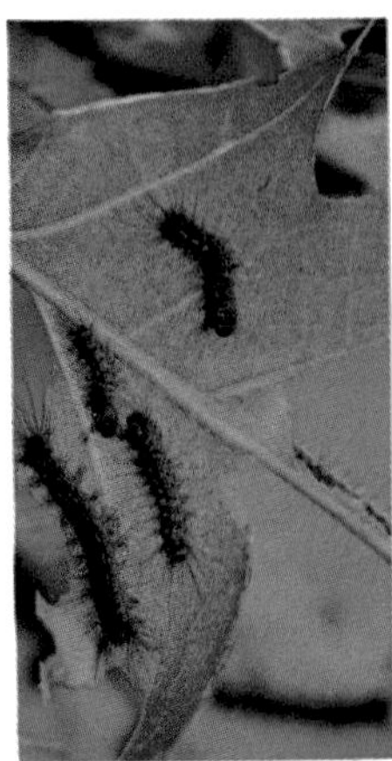

♂

♀

Période d'activité	Mai	Juin	Juil.	Août	Sept.	Oct.
Larves	—	—	—			
Adultes			—	—		

Chenille à col jaune

Datana ministra (Drury) (Notodontidae)

Hôtes feuillus: **bouleaux,** ormes, saules

Période d'activité	Mai	Juin	Juil.	Août	Sept.	Oct.
Larves						
Adultes						

Papillon à épaulettes

Phyllodesma americana (Harr.) (Lasiocampidae)
Hôtes feuillus: **peupliers,** bouleaux, saules

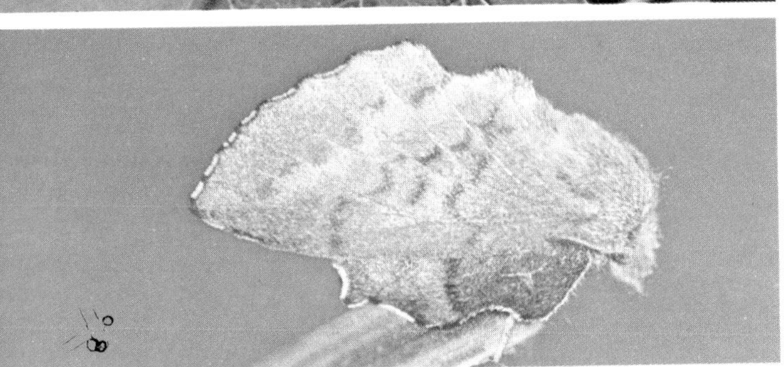

Période d'activité	Mai	Juin	Juil.	Août	Sept.	Oct.
Larves		—	—	—	—	
Adultes	—	—				

Papillon satiné

Stilpnotia salicis (L.) (Lymantriidae)
Hôtes feuillus: peupliers, saules

Période d'activité	Mai	Juin	Juil.	Août	Sept.	Oct.
Larves						
Adultes						

Acronycte fragile

Acronicta fragilis (Guen.) (Noctuidae)

Hôtes feuillus: bouleaux

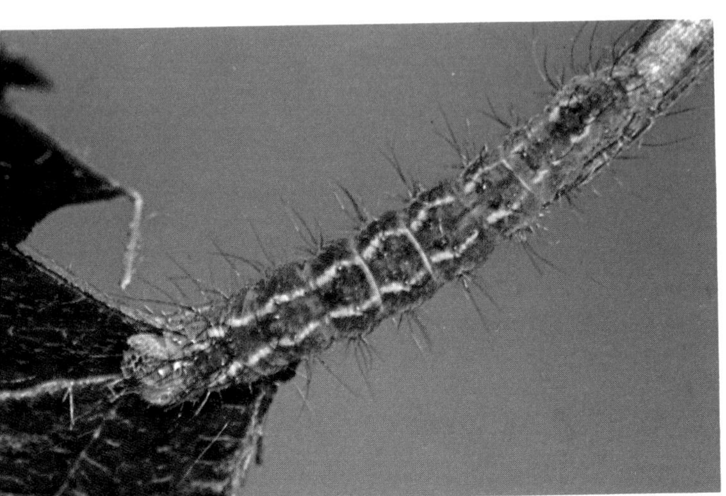

Période d'activité	Mai	Juin	Juil.	Août	Sept.	Oct.
Larves						
Adultes						

Lexis bicolore

Lexis bicolor (Grote) (Arctiidae)
Hôtes résineux: **épinettes,** pins, pruche, sapin

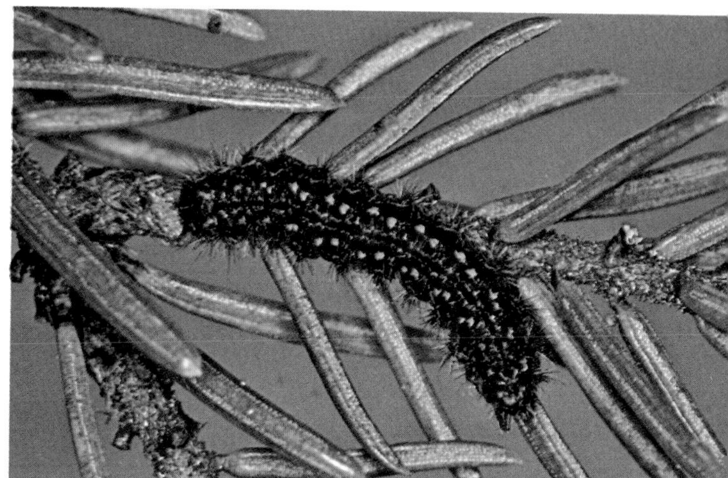

Période d'activité	Mai	Juin	Juil.	Août	Sept.	Oct.
Larves						
Adultes						

Arctiide du Canada

Parasemia parthenos (Harr.) (Arctiidae)

Hôtes feuillus: bouleaux, saules

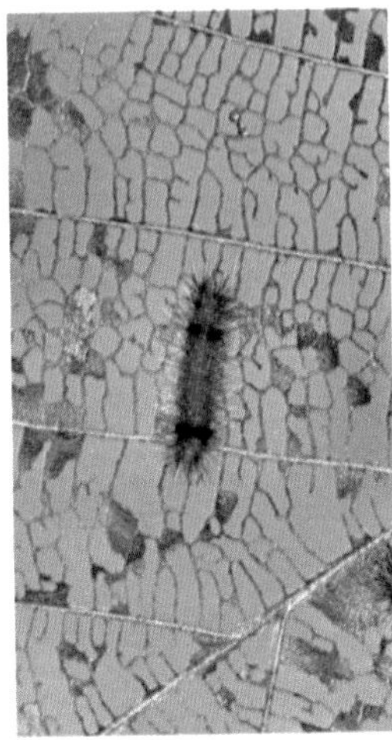

Période d'activité	Mai	Juin	Juil.	Août	Sept.	Oct.
Larves		———	———	———	——	
Adultes			———	——		

Larves libres sur le feuillage, non poilues, deux paires de fausses pattes (arpenteuses), avec filaments ou épine(s) sur le dos

Arpenteuse bi-épineuse

Sicya macularia Harr. (Geometridae)
Hôtes feuillus: cerisiers, peupliers, saules

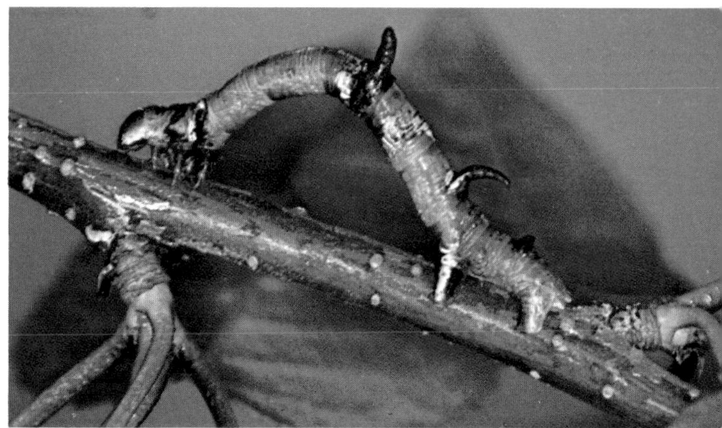

Période d'activité	Mai	Juin	Juil.	Août	Sept.	Oct.
Larves		—	—			
Adultes		—	—	—		

Nématocampe

Nematocampa filamentaria (Guen.) (Geometridae)
Hôtes feuillus: bouleaux, saules
Hôtes résineux: **sapin,** épinettes, mélèze

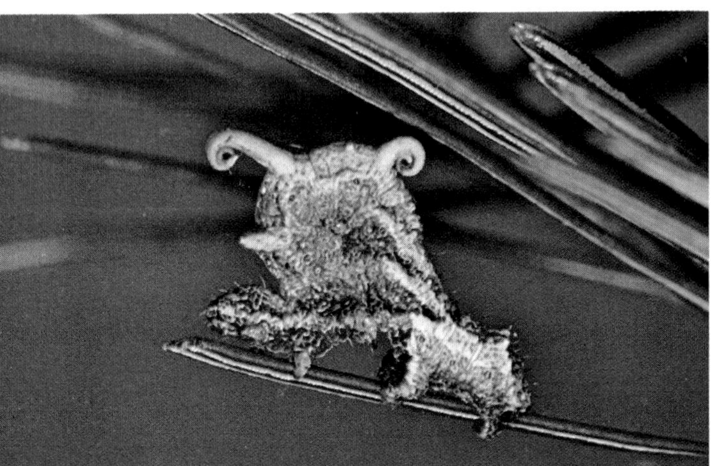

Période d'activité	Mai	Juin	Juil.	Août	Sept.	Oct.
Larves		—	—	—		
Adultes		—	—	—		

Larves libres sur le feuillage, non poilues, deux paires de fausses pattes (arpenteuses), sans filaments ou épine(s) sur le dos

Arpenteuse grise du tremble

Itame loricaria (Eversmann) (Geometridae)
Hôtes feuillus: **peupliers,** bouleaux, saules
Hôtes résineux: épinettes

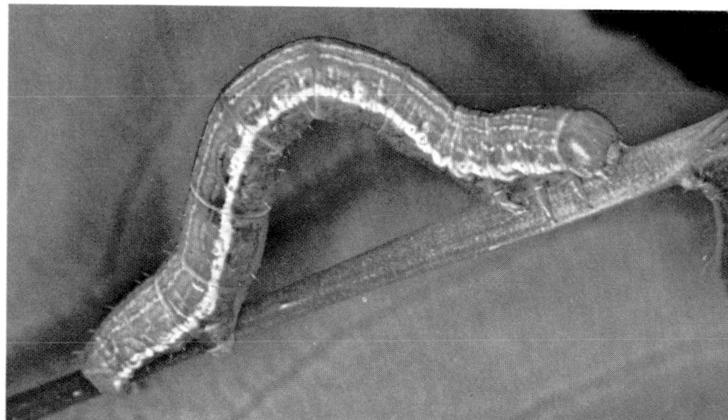

Période d'activité	Mai	Juin	Juil.	Août	Sept.	Oct.
Larves						
Adultes						

Fausse arpenteuse de la pruche

Nepytia canosaria (Wlk.) (Geometridae)

Hôtes résineux: **sapin,** épinettes, mélèze, pins, pruche

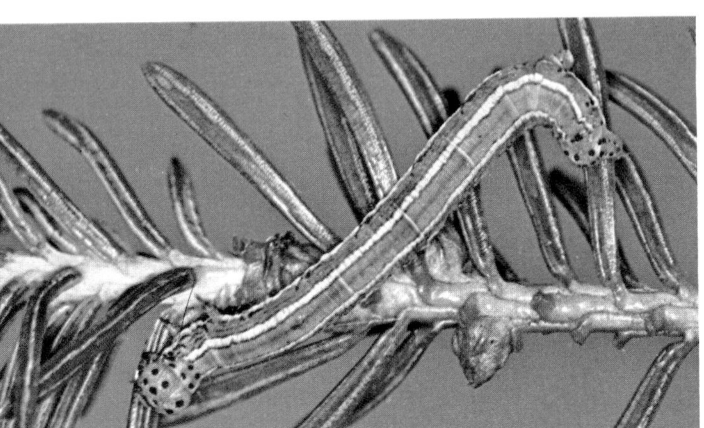

Période d'activité	Mai	Juin	Juil.	Août	Sept.	Oct.
Larves						
Adultes						

Arpenteuse sombre

Semiothisa oweni Swett (Geometridae)

Hôtes résineux: **mélèze,** épinettes, pins, sapin

Période d'activité	Mai	Juin	Juil.	Août	Sept.	Oct.
Larves			—	━━	—	
Adultes	—	——	——			

Arpenteuse verte élancée

Dysstroma citrata Linn. (Geometridae)
Hôtes feuillus: bouleaux, peupliers, saules

Période d'activité	Mai	Juin	Juil.	Août	Sept.	Oct.
Larves		———	———			
Adultes			———	———		

Arpenteuse du tilleul

Erannis tiliaria (Harr.) (Geometridae)

Hôtes feuillus: **érables,** bouleaux, cerisiers, chênes, frênes, hêtre, ormes, peupliers, saules, sorbier

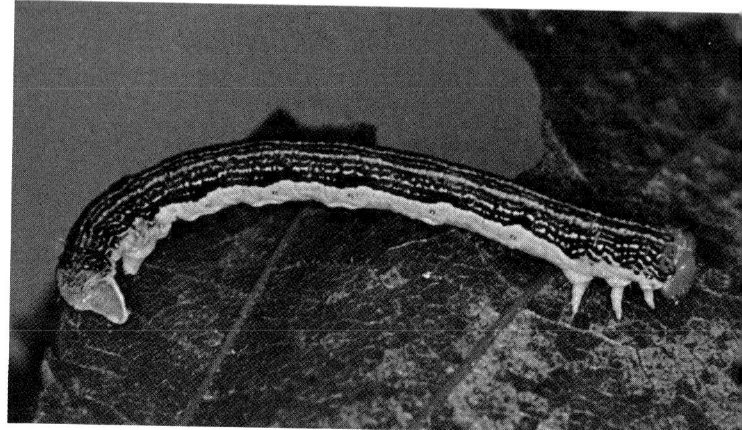

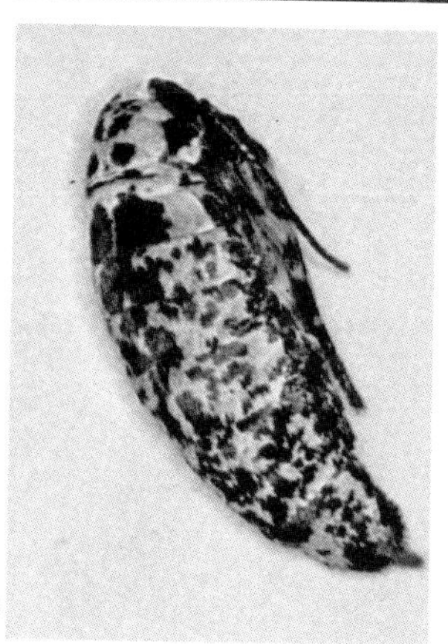

♀

♂

Période d'activité	Mai	Juin	Juil.	Août	Sept.	Oct.
Larves						
Adultes						

Géomètre moucheté

Itame exauspicata Wlk. (Geometridae)
Hôtes feuillus: **saules,** bouleaux, cerisiers, peupliers

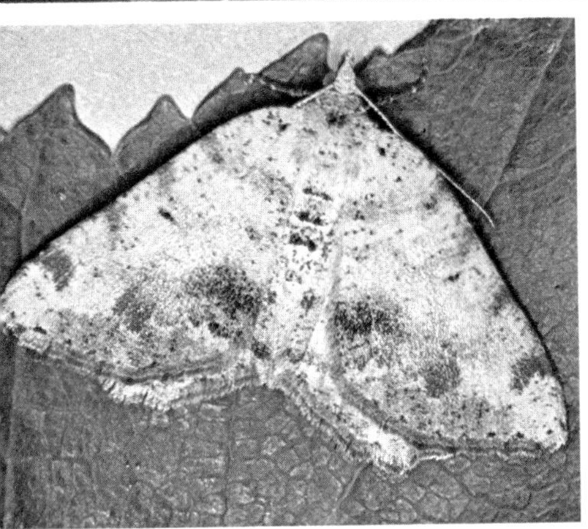

Période d'activité	Mai	Juin	Juil.	Août	Sept.	Oct.
Larves						
Adultes						

Arpenteuse du pin

Hypagyrtis piniata (Pack.) (Geometridae)
Hôtes résineux: **sapin,** épinettes, mélèze, pins

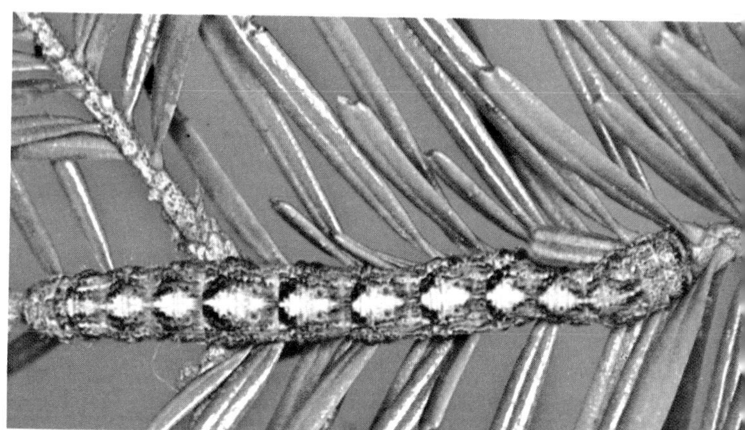

Période d'activité	Mai	Juin	Juil.	Août	Sept.	Oct.
Larves						
Adultes						

Arpenteuse bossue de la pruche

Ectropis crepuscularia (Schiff.) (Geometridae)

Hôtes feuillus: bouleaux, peupliers, saules
Hôtes résineux: **sapin,** mélèze, pins, pruche

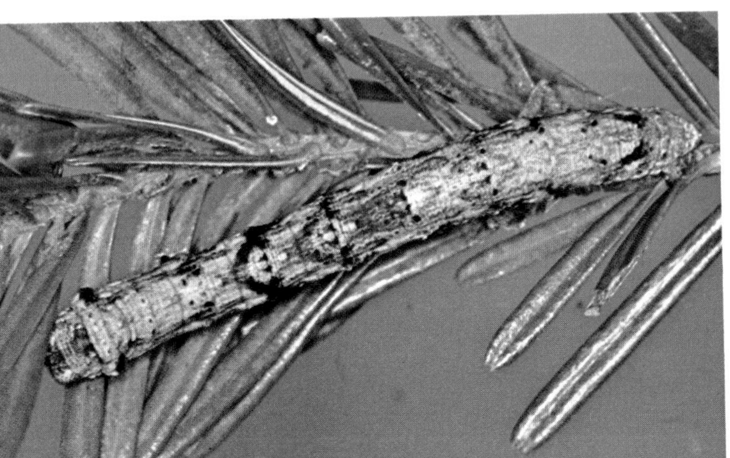

Période d'activité	Mai	Juin	Juil.	Août	Sept.	Oct.
Larves						
Adultes						

Arpenteuse dodue

Protoboarmia porcelaria indicataria (Guen.)
(Geometridae)

Hôtes feuillus: bouleaux, peupliers
Hôtes résineux: **sapin,** épinettes, mélèze, pins, pruche

Période d'activité	Mai	Juin	Juil.	Août	Sept.	Oct.
Larves						
Adultes						

Arpenteuse de la pruche

Lambdina fiscellaria fiscellaria (Guen.) (Geometridae)

Hôtes feuillus: bouleaux, érables

Hôtes résineux: **sapin,** épinettes, mélèze, pins, pruche

Période d'activité	Mai	Juin	Juil.	Août	Sept.	Oct.
Larves						
Adultes						

Arpenteuse à taches triangulaires

Anacamptodes ephyraria Wlk. (Geometridae)
Hôtes feuillus: bouleaux, érables, saules

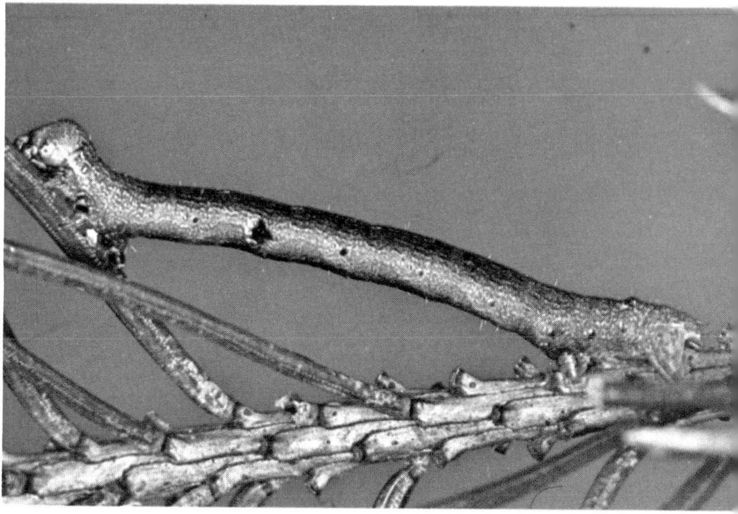

Période d'activité	Mai	Juin	Juil.	Août	Sept.	Oct.
Larves						
Adultes						

Arpenteuse perlée

Campaea perlata Guen. (Geometridae)

Hôtes feuillus: **peupliers,** bouleaux, chênes, érables, frênes, hêtre, ormes, saules, sorbier

Hôtes résineux: épinettes, mélèze, sapin

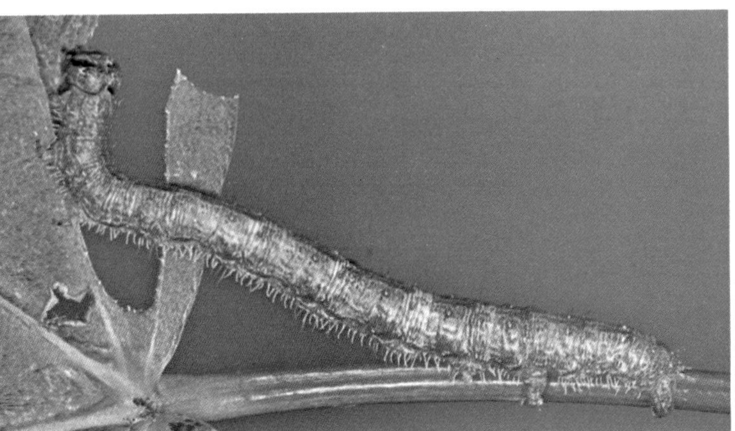

Période d'activité	Mai	Juin	Juil.	Août	Sept.	Oct.
Larves						
Adultes						

Arpenteuse grise de l'épinette

Caripeta divisata Wlk. (Geometridae)
Hôtes résineux: **sapin,** épinettes, mélèze, pins, pruche

Période d'activité	Mai	Juin	Juil.	Août	Sept.	Oct.
Larves			—	—	—	
Adultes		—	—	—		

Arpenteuse brune du tremble

Prochoerodes transversata Dru. (Geometridae)
Hôtes feuillus: **peupliers,** bouleaux
Hôtes résineux: sapin

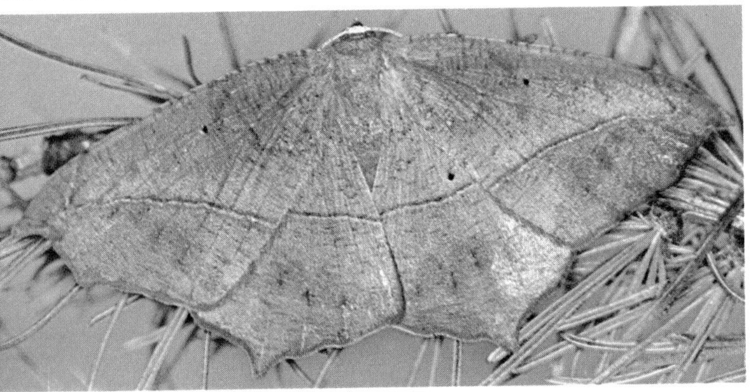

Période d'activité	Mai	Juin	Juil.	Août	Sept.	Oct.
Larves		—	—	—		
Adultes			—	—	—	

Arpenteuse bituberculée

Abbottana clemataria J.E. Smith (Geometridae)
Hôtes feuillus: **bouleaux,** érables, frênes, ormes, peupliers, saules
Hôtes résineux: épinettes, pruche, sapin

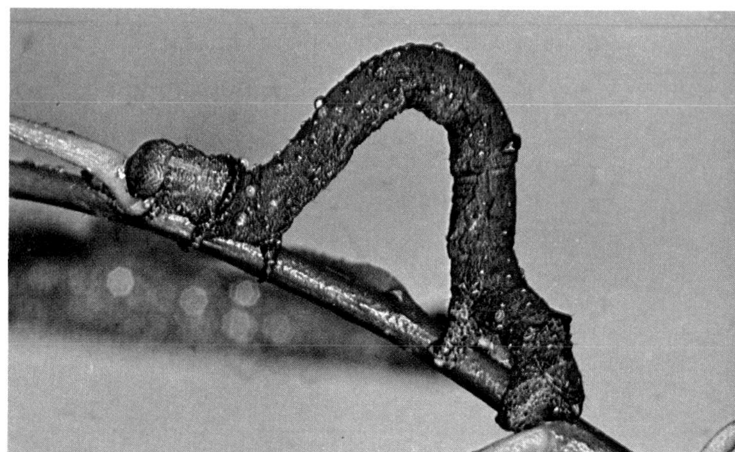

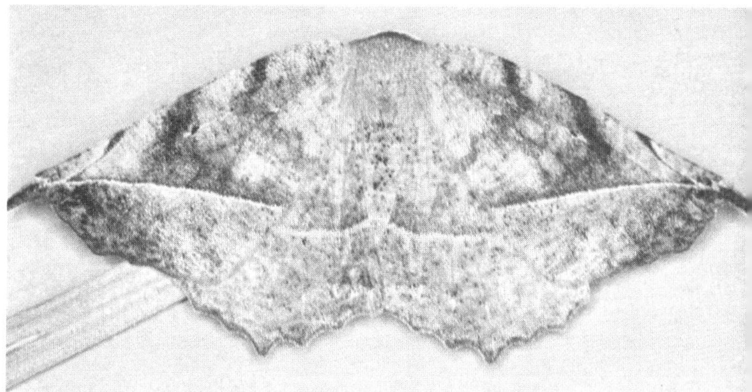

Période d'activité	Mai	Juin	Juil.	Août	Sept.	Oct.
Larves						
Adultes						

Arpenteuse nouée

Deuteronomos magnarius (Guen.) (Geometridae)

Hôtes feuillus: **bouleaux,** érables, frênes, ormes, peupliers, saules

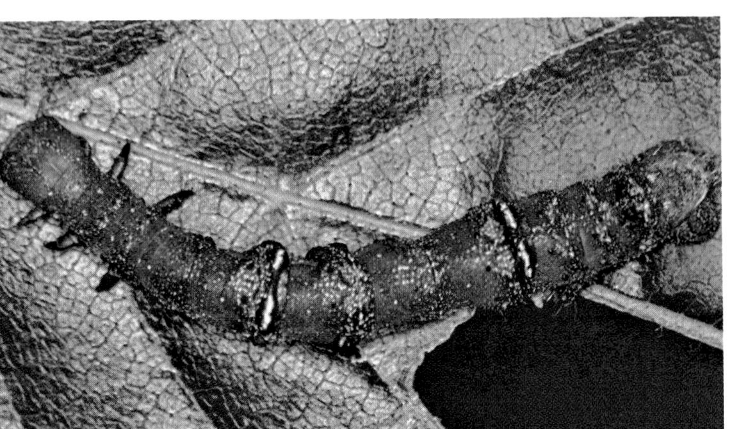

Période d'activité	Mai	Juin	Juil.	Août	Sept.	Oct.
Larves			—	—		
Adultes				—	—	

Arpenteuse de l'orme

Ennomos subsignarius (Hbn.) (Geometridae)

Hôtes feuillus: **érables**,* bouleaux, chênes, frênes, ormes, peupliers

Période d'activité	Mai	Juin	Juil.	Août	Sept.	Oct.
Larves	—	—	—			
Adultes		—	—	—		

Arpenteuse d'automne

Alsophila pometaria (Harr.) (Geometridae)

Hôtes feuillus: **érables,** bouleaux, chênes, frênes, ormes, peupliers

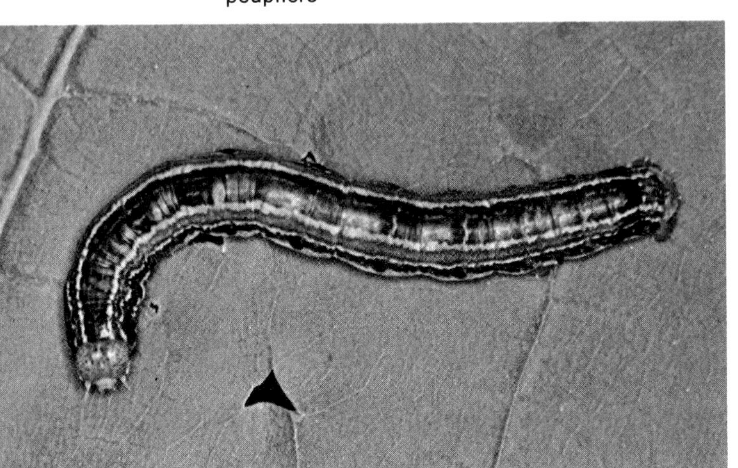

Période d'activité	Mai	Juin	Juil.	Août	Sept.	Oct.
Larves						
Adultes						

Géomètre noir du bouleau

Rheumaptera hastata (L.) (Geometridae)
Hôtes feuillus: bouleaux

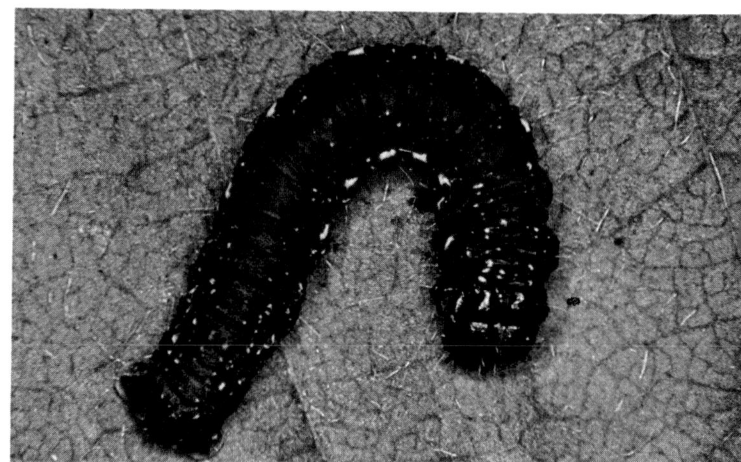

Période d'activité	Mai	Juin	Juil.	Août	Sept.	Oct.
Larves						
Adultes						

Larves libres sur le feuillage, non poilues, cinq paires de fausses pattes ou moins, avec corne(s), épine(s) ou bosse(s) sur le dos

Chenille licorne

Schizura unicornis (J.E. Smith) (Notodontidae)
Hôtes feuillus: bouleaux, saules

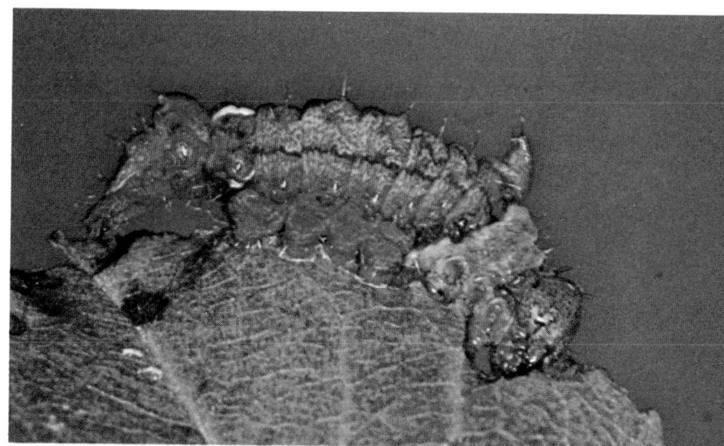

Période d'activité	Mai	Juin	Juil.	Août	Sept.	Oct.
Larves						
Adultes						

Chenille à bosse rouge

Schizura concinna (J.E. Smith) (Notodontidae)

Hôtes feuillus: **peupliers,** ormes, saules

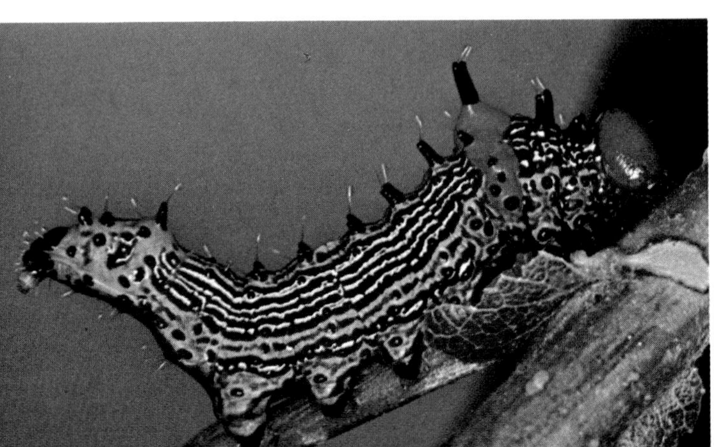

Période d'activité	Mai	Juin	Juil.	Août	Sept.	Oct.
Larves						
Adultes						

Vice-roi

Limenitis archippus (Cram.) (Nymphalidae)
Hôtes feuillus: **peupliers,** bouleaux, saules

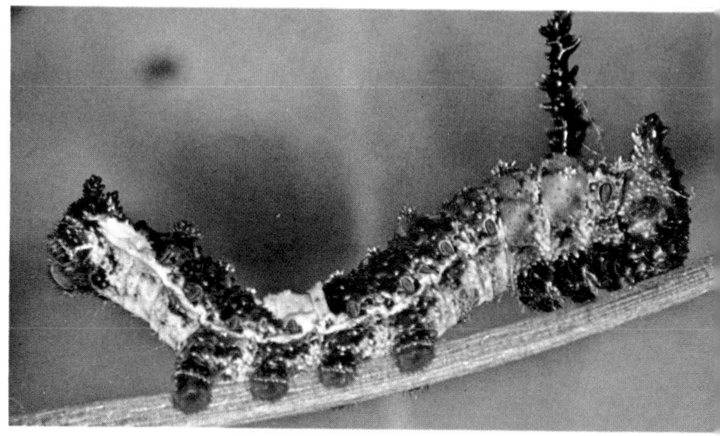

Période d'activité	Mai	Juin	Juil.	Août	Sept.	Oct.
Larves		———	———	——		
Adultes		———	———			

Chenille épineuse de l'orme

Nymphalis antiopa (L.) (Nymphalidae)
Hôtes feuillus: **saules,** ormes, peupliers

Période d'activité	Mai	Juin	Juil.	Août	Sept.	Oct.
Larves						
Adultes						

Cécropia

Hyalophora cecropia (L.) (Saturniidae)
Hôtes feuillus: bouleaux, érables, frênes, ormes, saules

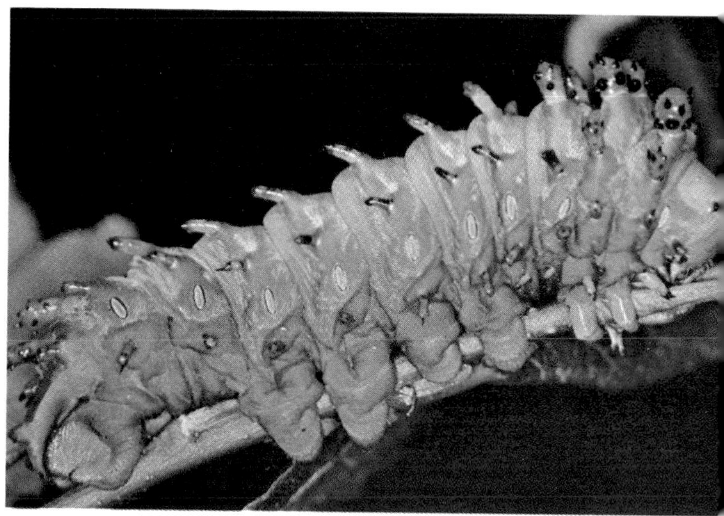

Période d'activité	Mai	Juin	Juil.	Août	Sept.	Oct.
Larves						
Adultes						

Polyphème d'Amérique

Antheraea polyphemus (Cram.) (Saturniidae)

Hôtes feuillus: **bouleaux,** peupliers, saules

Période d'activité	Mai	Juin	Juil.	Août	Sept.	Oct.
Larves			—	━	—	
Adultes		—				

Sphinx du peuplier

Pachysphinx modesta (Harr.) (Sphingidae)
Hôtes feuillus: peupliers

Période d'activité	Mai	Juin	Juil.	Août	Sept.	Oct.
Larves			—	—		
Adultes		—	—			

Noctuelle cuivrée

Amphipyra pyramidoides Guen. (Noctuidae)

Hôtes feuillus: bouleaux, chênes, ormes

Période d'activité	Mai	Juin	Juil.	Août	Sept.	Oct.
Larves						
Adultes						

Anisote de l'érable

Dryocampa rubicunda rubicunda (F.) (Citheroniidae)
Hôtes feuillus: érables

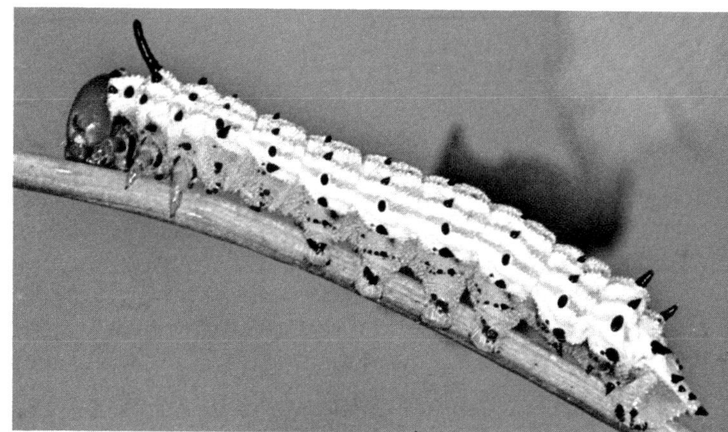

Période d'activité	Mai	Juin	Juil.	Août	Sept.	Oct.
Larves						
Adultes						

Anisote rose du chêne

Anisota virginiensis (Drury) (Citheroniidae)
Hôtes feuillus: **chênes,** bouleaux, érables, hêtre

Période d'activité	Mai	Juin	Juil.	Août	Sept.	Oct.
Larves			———	———		
Adultes		———				

Larves libres sur le feuillage, non poilues, cinq paires de fausses pattes ou moins, sans corne(s), épine(s) ou bosse(s) sur le dos

Chenille à joues noires

Ipimorpha pleonectusa Grote (Noctuidae)
Hôtes feuillus: peupliers

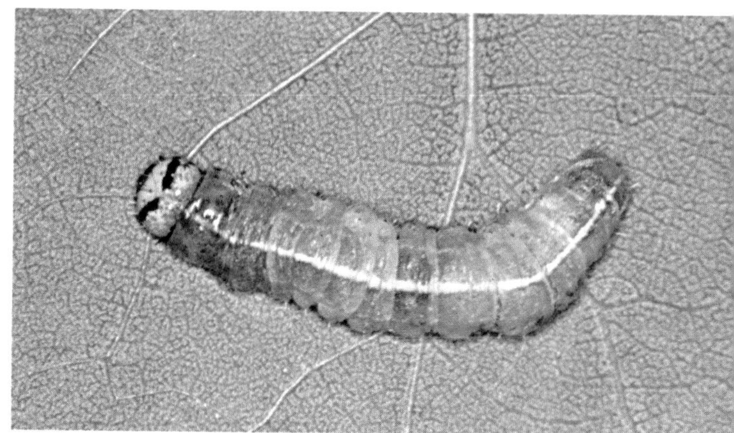

Période d'activité	Mai	Juin	Juil.	Août	Sept.	Oct.
Larves	—	—	—			
Adultes			—	—		

Papillon tigré du Canada

Papilio glaucus canadensis R. et J. (Papilionidae)

Hôtes feuillus: **bouleaux,** cerisiers, peupliers, saules, sorbier

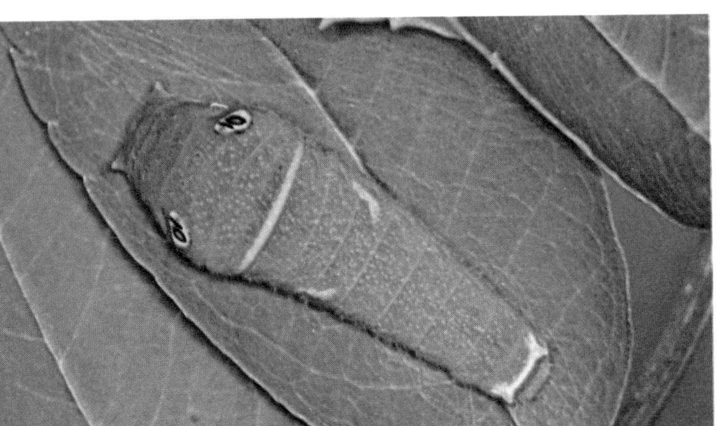

Période d'activité	Mai	Juin	Juil.	Août	Sept.	Oct.
Larves						
Adultes						

Chenille pointillée

Morrisonia confusa (Hbn.) (Noctuidae)

Hôtes feuillus: bouleaux, érables, ormes, peupliers

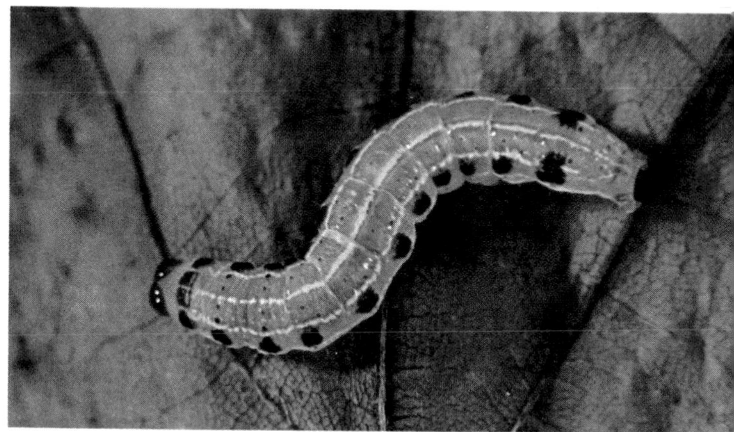

Période d'activité	Mai	Juin	Juil.	Août	Sept.	Oct.
Larves						
Adultes						

Découpure

Scoliopteryx libatrix (L.) (Noctuidae)

Hôtes feuillus: peupliers, saules

Période d'activité	Mai	Juin	Juil.	Août	Sept.	Oct.
Larves						
Adultes						

Chenille verte du chêne

Nadata gibbosa (J.E. Smith) (Notodontidae)
Hôtes feuillus: **bouleaux,** chênes, érables, peupliers, saules

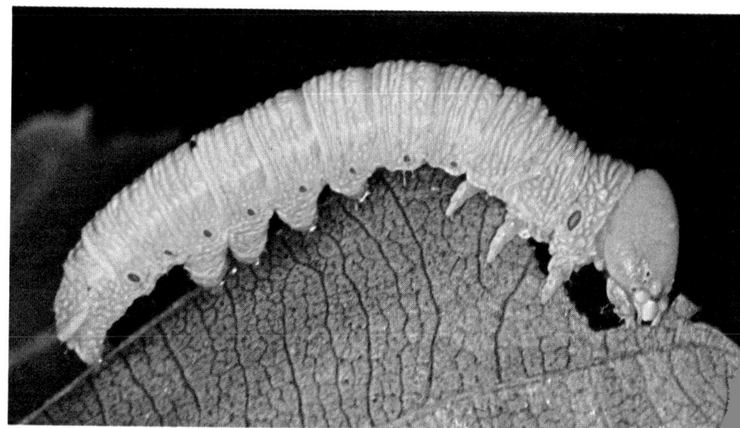

Période d'activité	Mai	Juin	Juil.	Août	Sept.	Oct.
Larves		—	—	—	—	
Adultes		—	—			

Noctuelle décolorée

Enargia decolor (Wlk.) (Noctuidae)
Hôtes feuillus: **peupliers,** bouleaux, saules

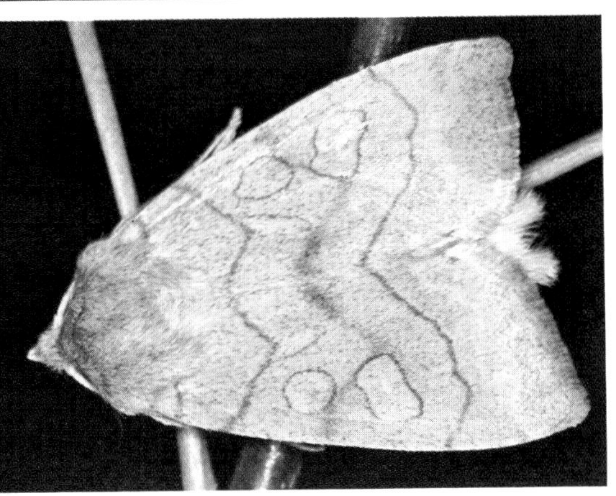

Période d'activité	Mai	Juin	Juil.	Août	Sept.	Oct.
Larves						
Adultes						

Autographe à rectangle

Syngrapha rectangula (Kby.) (Noctuidae)
Hôtes résineux: **sapin,** épinettes

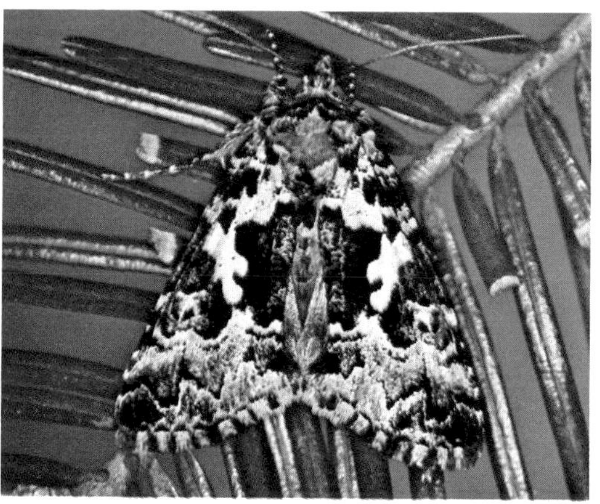

Période d'activité	Mai	Juin	Juil.	Août	Sept.	Oct.
Larves						
Adultes						

Autographe verdâtre

Syngrapha selecta (Wlk.) (Noctuidae)
Hôtes résineux: **épinettes,** pins, sapin

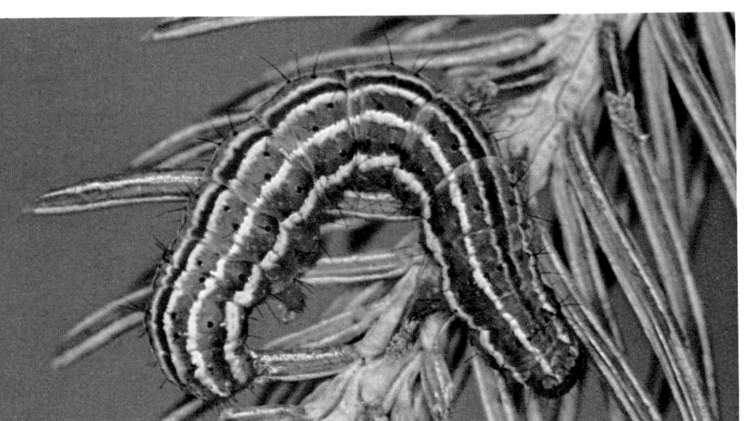

Période d'activité	Mai	Juin	Juil.	Août	Sept.	Oct.
Larves						
Adultes						

Féralie joyeuse

Feralia jocosa (Guen.) (Noctuidae)

Hôtes résineux: **sapin,** épinettes, mélèze, pruche

Période d'activité	Mai	Juin	Juil.	Août	Sept.	Oct.
Larves						
Adultes						

Orthosie verte

Orthosia hibisci Guen. (Noctuidae)
Hôtes feuillus: **peupliers,** bouleaux, saules
Hôtes résineux: épinettes

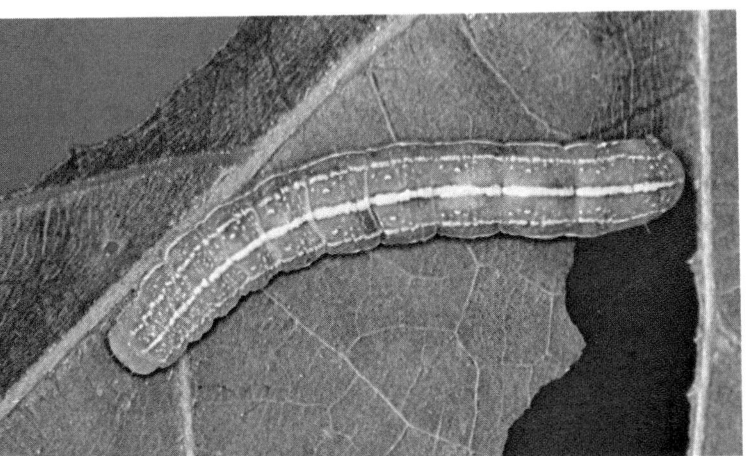

Période d'activité	Mai	Juin	Juil.	Août	Sept.	Oct.
Larves						
Adultes						

Noctuelle ornée

Lithophane thaxteri Grt. (Noctuidae)
Hôtes résineux: mélèze

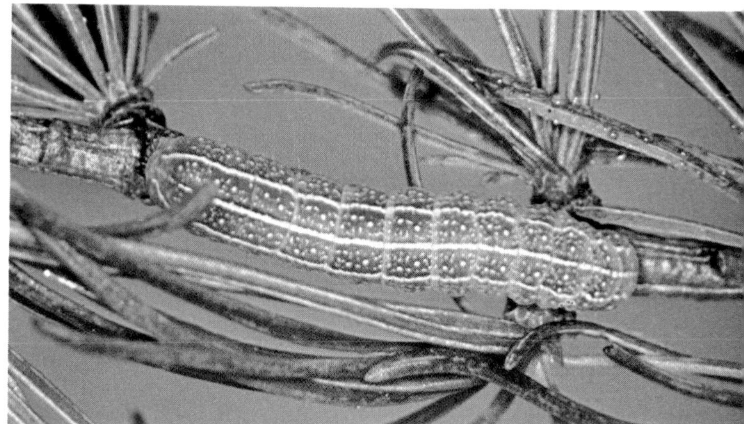

Période d'activité	Mai	Juin	Juil.	Août	Sept.	Oct.
Larves						
Adultes						

Noctuelle sans nom

Lithophane innominata Smith (Noctuidae)
Hôtes feuillus: bouleaux, érables, peupliers, saules
Hôtes résineux: épinettes, pruche, sapin

Période d'activité	Mai	Juin	Juil.	Août	Sept.	Oct.
Larves		——	——			
Adultes				——	——	

Hétérocampe biondulée

Heterocampa biundata Wlk. (Notodontidae)
Hôtes feuillus: bouleaux, érables

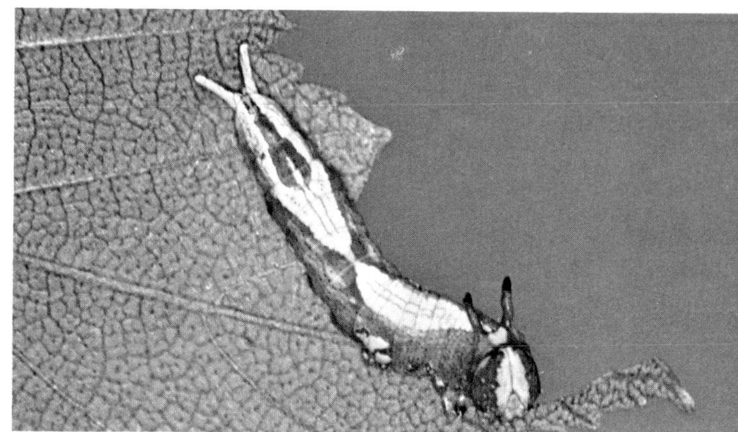

Période d'activité	Mai	Juin	Juil.	Août	Sept.	Oct.
Larves						
Adultes						

Hétérocampe de l'érable

Heterocampa guttivitta (Wlk.) (Notodontidae)

Hôtes feuillus: **bouleaux,** chênes, érables, hêtre, ormes

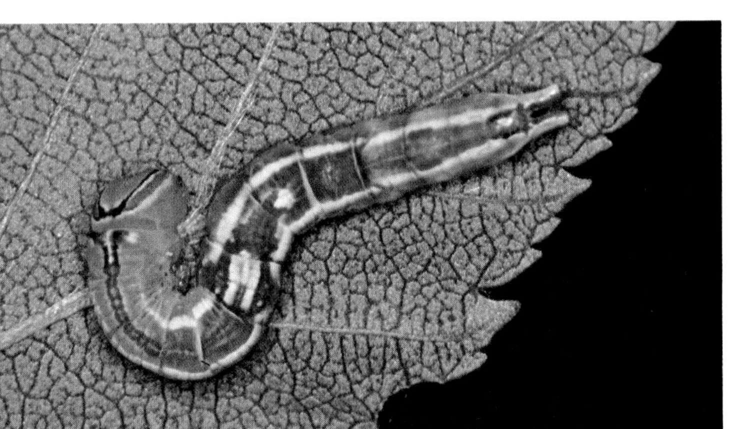

Période d'activité	Mai	Juin	Juil.	Août	Sept.	Oct.
Larves						
Adultes						

Likenée rougeâtre

Catocala unijuga Wlk. (Noctuidae)
Hôtes feuillus: peupliers, saules

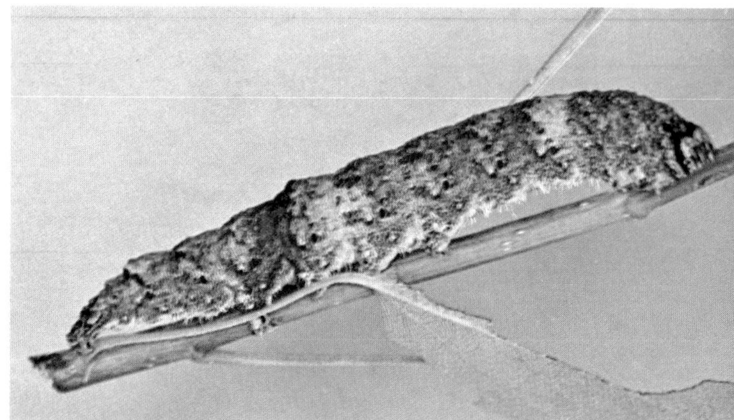

Période d'activité	Mai	Juin	Juil.	Août	Sept.	Oct.
Larves		———				
Adultes		——	———	———	——	

Noctuelle du cerisier

Crocigrapha normani (Grote) (Noctuidae)
Hôtes feuillus: **bouleaux,** érables, ormes, peupliers

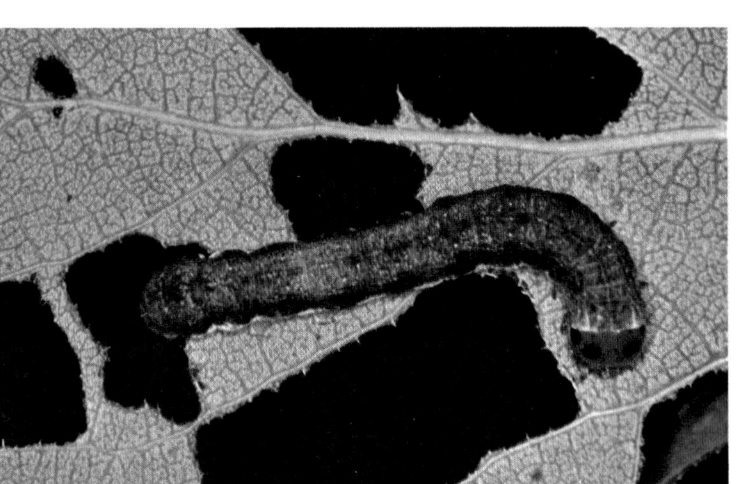

Période d'activité	Mai	Juin	Juil.	Août	Sept.	Oct.
Larves						
Adultes						

Noctuelle affligée

Xylomyges dolosa Grote (Noctuidae)
Hôtes feuillus: **peupliers,** saules

Période d'activité	Mai	Juin	Juil.	Août	Sept.	Oct.
Larves	——	———	———			
Adultes	———	——				

Pyrrhie bistrée

Pyrrhia exprimens (Wlk.) (Noctuidae)

Hôtes feuillus: **peupliers,** saules, sorbier

Période d'activité	Mai	Juin	Juil.	Août	Sept.	Oct.
Larves						
Adultes						

Tordeuse du mélèze

Zeiraphera improbana (Wlk.) (Olethreutidae)
Hôtes résineux: mélèze

Période d'activité	Mai	Juin	Juil.	Août	Sept.	Oct.
Larves						
Adultes						

Pyrale des cônes de l'épinette

Dioryctria reniculelloides Mut. et Mun. (Pyralidae)

Hôtes résineux: **épinettes,** mélèze, sapin

Période d'activité	Mai	Juin	Juil.	Août	Sept.	Oct.
Larves						
Adultes						

Tordeuse des bourgeons de l'épinette

Choristoneura fumiferana (Clem.) (Tortricidae)
Hôtes résineux: **épinettes,** sapin, mélèze, pins, pruche

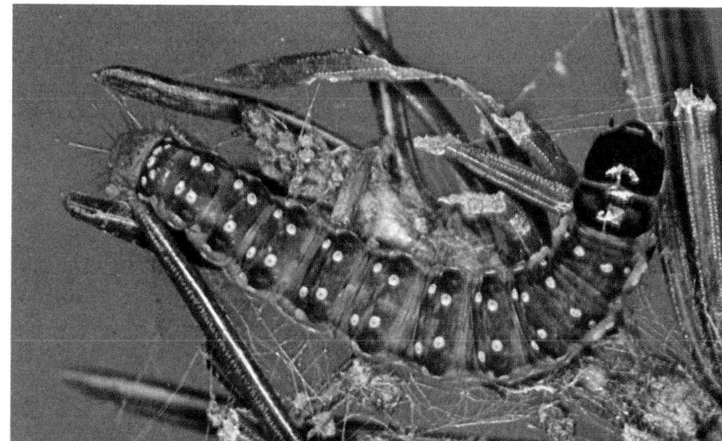

Période d'activité	Mai	Juin	Juil.	Août	Sept.	Oct.
Larves						
Adultes						

Arlequin du sapin

Elaphria versicolor (Grote) (Noctuidae)

Hôtes résineux: **sapin,** épinettes, mélèze, pins, pruche

Période d'activité	Mai	Juin	Juil.	Août	Sept.	Oct.
Larves						
Adultes						

Notodonte luné

Ichthyura albosigma Fitch (Notodontidae)
Hôtes feuillus: **peupliers,** saules

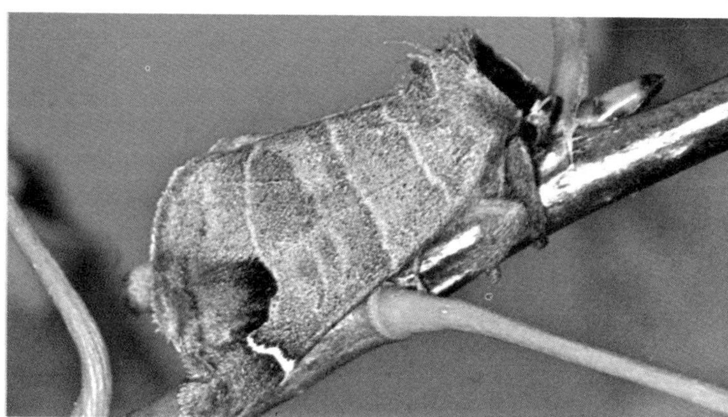

Période d'activité	Mai	Juin	Juil.	Août	Sept.	Oct.
Larves						
Adultes						

les hyménoptères

Larves mineuses

Petite mineuse du bouleau

Fenusa pusilla (Lep.) (Tenthredinidae)
Hôtes feuillus: bouleaux

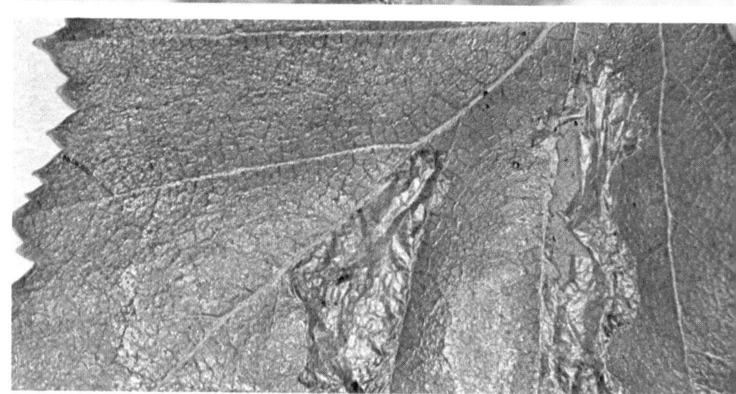

Période d'activité	Mai	Juin	Juil.	Août	Sept.	Oct.
Larves						
Adultes						

Tenthrède-mineuse de Thomson

Profenusa thomsoni (Konow) (Tenthredinidae)

Hôtes feuillus: bouleaux

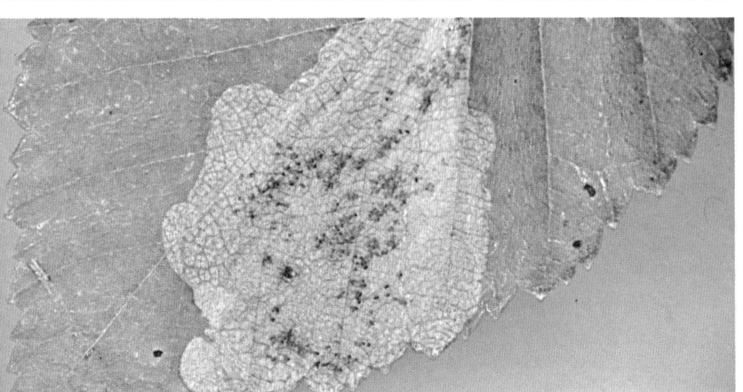

Période d'activité	Mai	Juin	Juil.	Août	Sept.	Oct.
Larves			—	—		
Adultes		—	—			

Tenthrède-mineuse du bouleau

Messa nana (Klug) (Tenthredinidae)
Hôtes feuillus: bouleaux

Période d'activité	Mai	Juin	Juil.	Août	Sept.	Oct.
Larves		—	—			
Adultes	—	—				

Larves libres sur les feuillus

Tenthrède de l'orme

(aussi appelée Mouche à scie de l'orme)

Cimbex americana Leach (Cimbicidae)

Hôtes feuillus: **ormes,** bouleaux, peupliers, saules

Période d'activité	Mai	Juin	Juil.	Août	Sept.	Oct.
Larves						
Adultes						

Tenthrède du sorbier
(aussi appelée Mouche à scie du sorbier
Pristiphora geniculata (Htg.) (Tenthredinidae)
Hôtes feuillus: sorbier

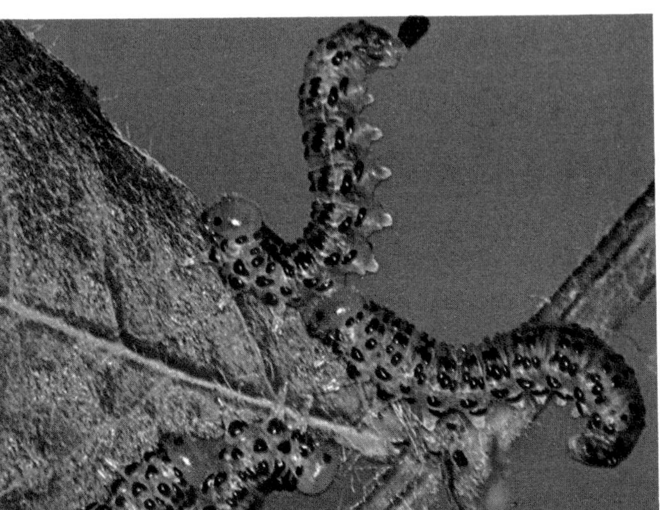

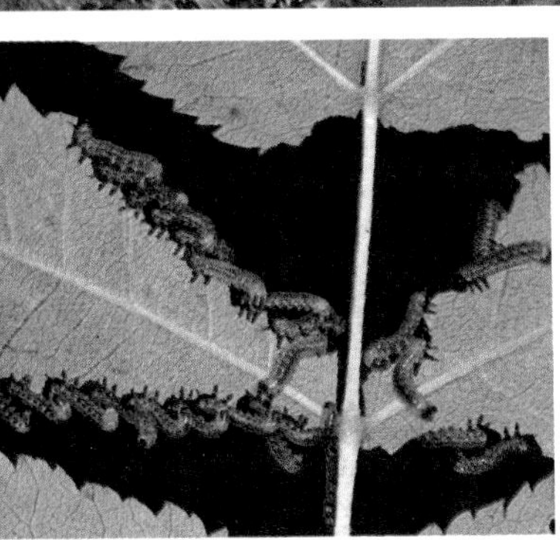

Période d'activité	Mai	Juin	Juil.	Août	Sept.	Oct.
Larves						
Adultes						

Larves libres sur les conifères

Diprion européen de l'épinette
(aussi appelée Mouche à scie européenne de l'épinette
Diprion hercyniae (Htg.) (Diprionidae)
Hôtes résineux: épinettes

Période d'activité	Mai	Juin	Juil.	Août	Sept.	Oct.
Larves			—	—	—	
Adultes	—	—				

Tenthrède à tête jaune de l'épinette

(aussi appelée Mouche à scie à tête jaune de l'épinette

Pikonema alaskensis (Roh.) (Tenthredinidae)

Hôtes résineux: épinettes

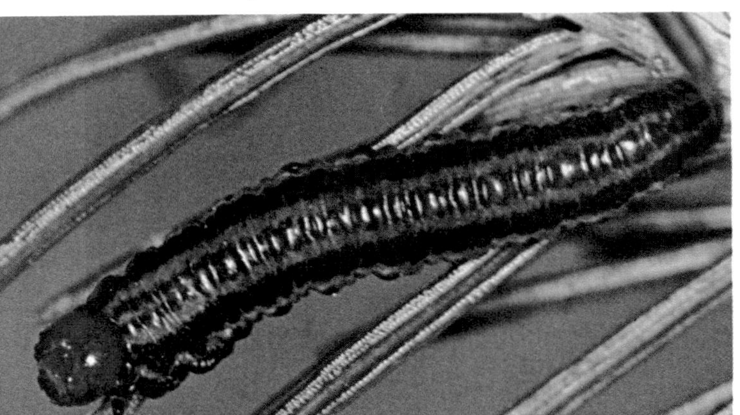

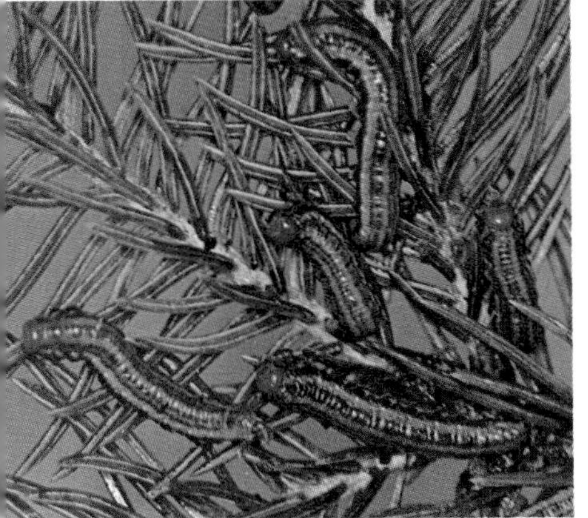

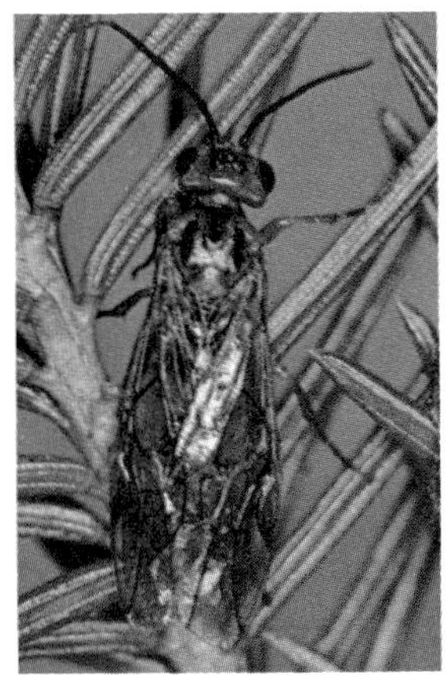

Période d'activité	Mai	Juin	Juil.	Août	Sept.	Oct.
Larves			— ▬▬	▬▬ —		
Adultes	—	—				

Tenthrède à tête verte de l'épinette

(aussi appelée Mouche à scie à tête verte de l'épinette

Pikonema dimmockii (Cress.) (Tenthredinidae)

Hôtes résineux: épinettes

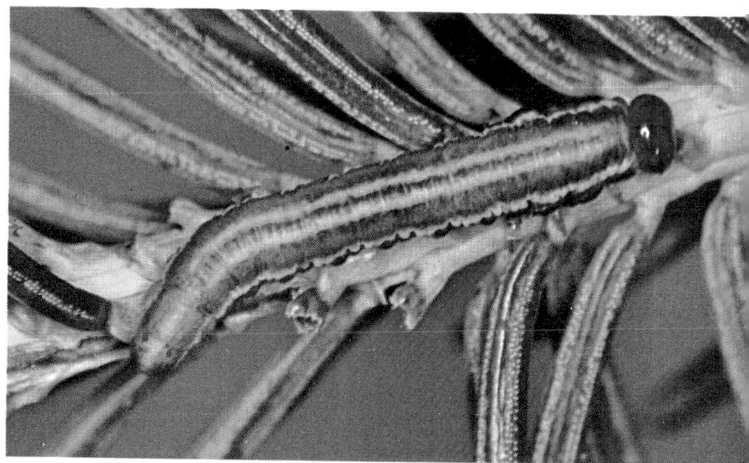

Période d'activité	Mai	Juin	Juil.	Août	Sept.	Oct.
Larves						
Adultes						

Diprion à tête rouge du pin gris

(aussi appelée Mouche à scie à tête rouge du pin gris

Neodiprion virginiana Roh. (Diprionidae)

Hôtes résineux: pins

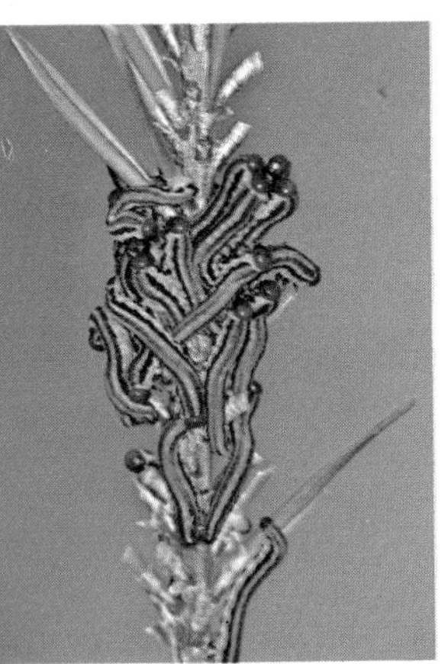

Période d'activité	Mai	Juin	Juil.	Août	Sept.	Oct.
Larves			———	———	——	
Adultes	———	———				

Diprion de Swaine

(aussi appelée Mouche à scie du pin gris de Swaine

Neodiprion swainei Midd. (Diprionidae)

Hôtes résineux: pins

Période d'activité	Mai	Juin	Juil.	Août	Sept.	Oct.
Larves						
Adultes						

Diprion du pin de pépinière

(aussi appelée Mouche à scie du pin de pépinière

Diprion frutetorum (F.) (Diprionidae)

Hôtes résineux: pins

Période d'activité	Mai	Juin	Juil.	Août	Sept.	Oct.
Larves		———	———	———	———	
Adultes	———	———	———	———		

Diprion du sapin

(aussi appelée Mouche à scie du sapin

Neodiprion abietis (Harr.) (Diprionidae)

Hôtes résineux: **sapin,** épinettes

Période d'activité	Mai	Juin	Juil.	Août	Sept.	Oct.
Larves		—	—	—		
Adultes			—	—	—	

Tenthrède du mélèze

(aussi appelée Mouche à scie du mélèze

Pristiphora erichsonii (Htg.) (Tenthredinidae)

Hôtes résineux: mélèze

Période d'activité	Mai	Juin	Juil.	Août	Sept.	Oct.
Larves						
Adultes						

Diprion importé du pin

(aussi appelée Mouche à scie importée du pin

Diprion similis (Htg.) (Diprionidae)

Hôtes résineux: pins

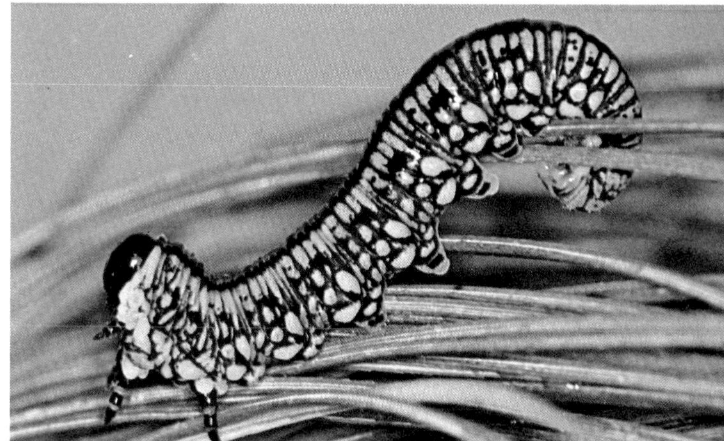

Période d'activité	Mai	Juin	Juil.	Août	Sept.	Oct.
Larves	———	———	———	———	——	
Adultes	———	——				

Diprion du pin blanc

(aussi appelée Mouche à scie du pin blanc

Neodiprion pinetum (Nort.) (Diprionidae)

Hôtes résineux: pins

Période d'activité	Mai	Juin	Juil.	Août	Sept.	Oct.
Larves			—	—	—	
Adultes		—	—			

Diprion de LeConte

(aussi appelée Mouche à scie de LeConte

Neodiprion lecontei (Fitch) (Diprionidae)

Hôtes résineux: pins

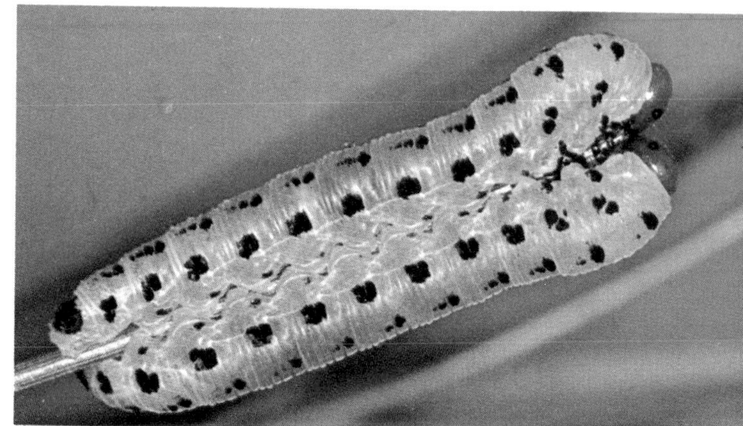

Période d'activité	Mai	Juin	Juil.	Août	Sept.	Oct.
Larves						
Adultes						

les coléoptères

Larve mineuse

Orcheste du saule

Rhynchaenus rufipes (Lec.) (Curculionidae)
Hôtes feuillus: saules

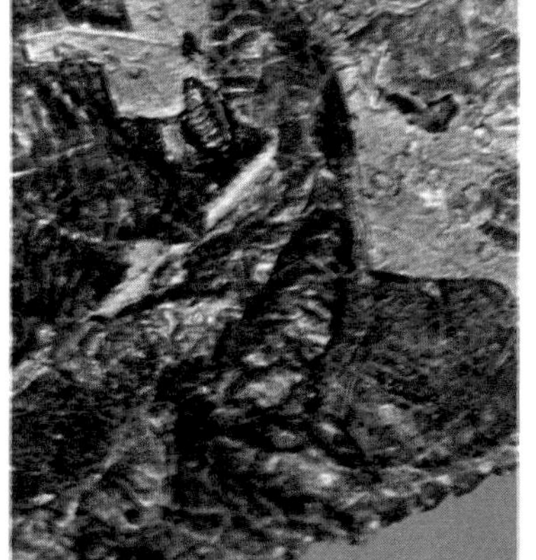

Période d'activité	Mai	Juin	Juil.	Août	Sept.	Oct.
Larves			——	——		
Adultes		——	——	——	——	——

N.B. Les dommages sont causés autant par les larves que par les adultes de ce coléoptère.

Larve libre sur le feuillage

Chrysomèle versicolore du saule

Plagiodera versicolora (Laich.) (Chrysomelidae)
Hôtes feuillus: saules

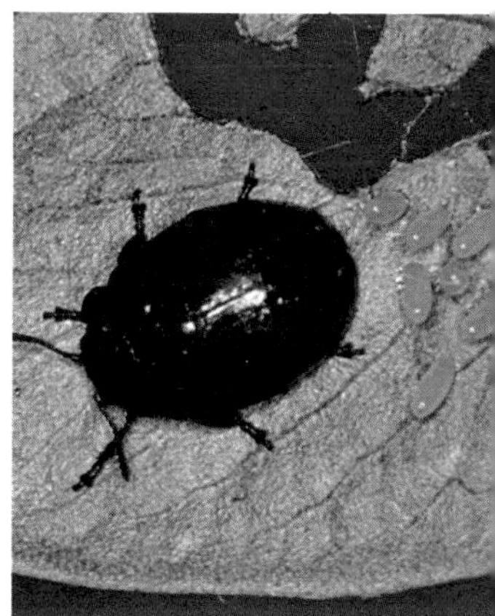

Période d'activité	Mai	Juin	Juil.	Août	Sept.	Oct.
Larves						
Adultes						

N.B. Les dommages sont causés autant par les larves que par les adultes de ce coléoptère.

Bibliographie

BAKER, L.W., 1972. Eastern Forest Insects. USDA, Misc. Publ. no. 1175.

BENOIT, P. (Éditeur), 1975. Noms français d'insectes au Canada, avec noms latins et anglais correspondants. Agriculture Québec, Publ. no QA38 — R4-30.

CRAIGHEAD, F.C., 1950. Insect Enemies of Eastern Forests. USDA, Misc. Publ. no. 657.

FORBES, W.T.M., 1923. The Lepidoptera of New York and neighboring states, Part I. Memoirs of Cornell Univ. Agr. Exp. Sta. no. 68.

FORBES, W.T.M., 1948. Lepidoptera of New York and neighboring states, Part II. Memoirs of Cornell Univ. Agr. Exp. Sta. no. 274.

FORBES, W.T.M., 1954. Lepidoptera of New York and neighboring states, Part III. Memoirs of Cornell Univ. Agr. Exp. Sta. no. 329.

FORBES, W.T.M., 1960. Lepidoptera of New York and neighboring states, Part IV. Memoirs of Cornell Univ. Agr. Exp. Sta. no. 371.

LINDQUIST, O.H. and M.J. THOMSON, 1970. The biology of a birch leaf miner, Messa nana (Hymenoptera: tenthredinidae), new to Canada. Can. Ent. 102: 108-111.

LINDQUIST, O.H., 1973. Notes on the biology of the larch needleworm, Zeiraphera improbana (Lepidoptera: olethreutidae), in Ontario. Can. Ent. 105: 1129-1131.

McGUFFIN, W.C., 1972. Guide to the Geometridae of Canada (Lepidoptera). Memoirs of the Ent. Soc. of Can. no. 86.

McGUFFIN, W.C., 1977. Guide to the Geometridae of Canada (Lepidoptera). Memoirs of the Ent. Soc. of Can. no. 101.

McGUGAN, B.M., (coord.), 1958. Forest Lepidoptera of Canada. Vol. 1. Can., min. de l'Agric., Div. des forêts, Publ. no 1034.

PRENTICE, R.M., (coord.), 1962. Forest Lepidoptera of Canada. Vol. 2. Can., min. des Forêts, Div. de l'entom. et de la pathol., Bull. no 128.

PRENTICE, R.M., (coord.), 1963. Forest Lepidoptera of Canada. Vol. 3. Can., min. des Forêts, Div. de l'entom. et de la pathol., Publ. no 1013.

PRENTICE, R.M., (coord.), 1965. Forest Lepidoptera of Canada. Vol. 4. Can. min. des Forêts, Publ. no 1142.

RAIZENNE, H., 1952. Forest Lepidoptera of Southern Ontario and their Parasites. Can., min. de l'Agric., Div. des Forêts Mimeo. Rept., 277 p.

ROSE, A.H. et O.H. LINDQUIST, 1973. Insectes des pins de l'Est du Canada. Can., min. de l'Envir., Serv. des Forêts. Publ. no 1313F.

STEIN, J.D. and P.C. KENNEDY, 1972. Key to Shelterbelt insects in the northern great plains. USDA, Res. Pap. RM 85.

WILSON, L. F., 1977. A Guide to insect injury of conifers in the Lake States. USDA, Handbook no. 501.

Index I

Principaux insectes défoliateurs selon les essences forestières

FEUILLUS

Bouleaux
Acronycte d'Amérique 60
Acronycte de l'aulne 61
Acronycte du tremble 59
Acronycte fragile 70
Anisote rose du chêne 110
Arctiide du Canada 72
Arpenteuse à taches triangulaires 89
Arpenteuse bituberculée 93
Arpenteuse bossue de la pruche 86
Arpenteuse brune du tremble 92
Arpenteuse d'automne 96
Arpenteuse de la pruche 88
Arpenteuse de l'orme 95
Arpenteuse dodue 87
Arpenteuse du tilleul 83
Arpenteuse grise du tremble 79
Arpenteuse nouée 94
Arpenteuse perlée 90
Arpenteuse verte élancée 82
Cécropia 105
Chenille à col jaune 67
Chenille à houppes blanches 55
Chenille à houppes grises de l'épinette . . 54
Chenille à houppes rousses 53
Chenille à tente estivale 31
Chenille licorne 101
Chenille pointillée 115
Chenille verte du chêne 117
Enrouleuse à tête noire 35
Enrouleuse du peuplier 39
Géomètre moucheté 84
Géomètre noir du bouleau 97
Hétérocampe biondulée 125
Hétérocampe de l'érable 126
Livrée d'Amérique 29
Livrée de l'Ouest 30
Livrée des forêts 65
Mouche à scie de l'orme 147
Nématocampe 76
Noctuelle cuivrée 108

	Noctuelle décolorée	118
	Noctuelle du cerisier	128
	Noctuelle sans nom	124
	Oecophore du bouleau	37
	Orthosie verte	122
	Papillon à épaulettes	68
	Papillon tigré du Canada	114
	Petite mineuse du bouleau	141
	Polyphème d'Amérique	106
	Porte-case du bouleau	23
	Pyrale tubicole du bouleau	46
	Spongieuse	66
	Tenthrède de l'orme	147
	Tenthrède-mineuse de Thomson	142
	Tenthrède-mineuse du bouleau	143
	Tordeuse à bandes obliques	40
	Tordeuse du pommier	42
	Tortricide des bouleaux	38
	Vice-roi	103
Cerisiers	Arpenteuse bi-épineuse	75
	Arpenteuse du tilleul	83
	Chenille à houppes blanches	55
	Chenille à tente estivale	31
	Géomètre moucheté	84
	Livrée d'Amérique	29
	Livrée de l'Ouest	30
	Livrée des forêts	65
	Papillon tigré du Canada	114
	Spongieuse	66
	Tordeuse du cerisier	32
Chênes	Anisote rose du chêne	110
	Arpenteuse d'automne	96
	Arpenteuse de l'orme	95
	Arpenteuse du tilleul	83
	Arpenteuse perlée	90
	Chenille à houppes blanches	55
	Chenille à houppes grises de l'épinette	54
	Chenille à houppes rousses	53
	Chenille verte du chêne	117
	Hétérocampe de l'érable	126
	Livrée des forêts	65
	Noctuelle cuivrée	108
	Spongieuse	66
	Tordeuse du pommier	42
Érables	Acronycte d'Amérique	60
	Anisote de l'érable	109
	Anisote rose du chêne	110
	Arpenteuse à taches triangulaires	89

Arpenteuse bituberculée 93
Arpenteuse d'automne 96
Arpenteuse de la pruche 88
Arpenteuse de l'orme 95
Arpenteuse du tilleul 83
Arpenteuse nouée 94
Arpenteuse perlée 90
Cécropia 105
Chenille à houppes blanches 55
Chenille à houppes rousses 53
Chenille pointillée 115
Chenille verte du chêne 117
Enrouleuse de l'érable 41
Hétérocampe biondulée 125
Hétérocampe de l'érable 126
Livrée des forêts 65
Mineuse de l'érable 21
Noctuelle du cerisier 128
Noctuelle sans nom 124
Squeletteuse-trompette de l'érable 47
Spongieuse 66
Tordeuse à bandes obliques 40
Tordeuse du pommier 42

Frênes
Arpenteuse bituberculée 93
Arpenteuse d'automne 96
Arpenteuse de l'orme 95
Arpenteuse du tilleul 83
Arpenteuse nouée 94
Arpenteuse perlée 90
Cécropia 105
Chenille à houppes blanches 55
Chenille à houppes rousses 53
Livrée des forêts 65
Spongieuse 66

Hêtre
Anisote rose du chêne 110
Arpenteuse du tilleul 83
Arpenteuse perlée 90
Chenille à houppes blanches 55
Hétérocampe de l'érable 126
Livrée des forêts 65
Spongieuse 66

Ormes
Arpenteuse d'automne 96
Arpenteuse bituberculée 93
Arpenteuse de l'orme 95
Arpenteuse du tilleul 83
Arpenteuse nouée 94
Arpenteuse perlée 90
Cécropia 105

	Chenille à bosse rouge	102
	Chenille à col jaune	67
	Chenille à houppes blanches	55
	Chenille à houppes grises de l'épinette	54
	Chenille à houppes rousses	53
	Chenille à tente estivale	31
	Chenille épineuse de l'orme	104
	Chenille pointillée	115
	Hétérocampe de l'érable	126
	Livrée d'Amérique	29
	Livrée des forêts	65
	Mouche à scie de l'orme	147
	Noctuelle cuivrée	108
	Noctuelle du cerisier	128
	Spongieuse	66
	Tenthrède de l'orme	147
Peupliers	Acronycte de l'aulne	61
	Acronycte du tremble	59
	Arpenteuse bi-épineuse	75
	Arpenteuse bituberculée	93
	Arpenteuse bossue de la pruche	86
	Arpenteuse brune du tremble	92
	Arpenteuse d'automne	96
	Arpenteuse de l'orme	95
	Arpenteuse dodue	87
	Arpenteuse du tilleul	83
	Arpenteuse grise du tremble	79
	Arpenteuse nouée	94
	Arpenteuse perlée	90
	Arpenteuse verte élancée	82
	Chenille à bosse rouge	102
	Chenille à houppes blanches	55
	Chenille à houppes grises de l'épinette	54
	Chenille à houppes rousses	53
	Chenille à joues noires	113
	Chenille à tente estivale	31
	Chenille épineuse de l'orme	104
	Chenille pointillée	115
	Chenille verte du chêne	117
	Découpure	116
	Enrouleuse à tête brune	36
	Enrouleuse à tête noire	35
	Enrouleuse à traits noirs	43
	Enrouleuse du peuplier	39
	Enrouleuse du tremble	45
	Géomètre moucheté	84
	Likenée rougeâtre	127
	Livrée d'Amérique	29
	Livrée de l'Ouest	30

Livrée des forêts 65
Mineuse des feuilles du tremble 22
Mouche à scie de l'orme 147
Noctuelle affligée 129
Noctuelle décolorée 118
Noctuelle du cerisier 128
Noctuelle sans nom 124
Notodonte luné 135
Orthosie verte 122
Papillon à épaulettes 68
Papillon satiné 69
Papillon tigré du Canada 114
Polyphème d'Amérique 106
Pyrrhie bistrée 130
Sphinx du peuplier 107
Spongieuse 66
Tenthrède de l'orme 147
Tordeuse à bandes obliques 40
Tordeuse du pommier 42
Tordeuse du tremble 44
Vice-roi 103

Saules
Acronycte de l'aulne 61
Acronycte du tremble 59
Arctiide du Canada 72
Arpenteuse à taches triangulaires 89
Arpenteuse bi-épineuse 75
Arpenteuse bituberculée 93
Arpenteuse bossue de la pruche 86
Arpenteuse du tilleul 83
Arpenteuse grise du tremble 79
Arpenteuse nouée 94
Arpenteuse perlée 90
Arpenteuse verte élancée 82
Cécropia 105
Chenille à bosse rouge 102
Chenille à col jaune 67
Chenille à houppes blanches 55
Chenille à houppes rousses 53
Chenille à tente estivale 31
Chenille épineuse de l'orme 104
Chenille licorne 101
Chenille verte du chêne 117
Chrysomèle versicolore du saule 171
Découpure 116
Enrouleuse à tête brune 36
Enrouleuse à traits noirs 43
Géomètre moucheté 84
Likenée rougeâtre 127
Livrée d'Amérique 29

Livrée de l'Ouest 30
Livrée des forêts 65
Mouche à scie de l'orme 147
Nématocampe 76
Noctuelle affligée 129
Noctuelle décolorée 118
Noctuelle sans nom 124
Notodonte luné 135
Orcheste du saule 167
Ortosie verte 122
Papillon à épaulettes 68
Papillon satiné 69
Papillon tigré du Canada 114
Polyphème d'Amérique 106
Pyrrhie bistrée 130
Spongieuse 66
Tenthrède de l'orme 147
Tordeuse à bandes obliques 40
Tordeuse du pommier 42
Vice-roi 103

Sorbier Arpenteuse du tilleul 83
Arpenteuse perlée 90
Chenille à houppes blanches 55
Livrée des forêts 65
Mouche à scie du sorbier 148
Papillon tigré du Canada 114
Pyrrhie bistrée 130
Spongieuse 66
Tenthrède du sorbier 148

RÉSINEUX

Épinettes Arlequin du sapin 134
Arpenteuse bituberculée 93
Arpenteuse bossue de la pruche 86
Arpenteuse de la pruche 88
Arpenteuse dodue 87
Arpenteuse du pin 85
Arpenteuse grise de l'épinette 91
Arpenteuse grise du tremble 79
Arpenteuse perlée 90
Arpenteuse sombre 81
Autographe à rectangle 119
Autographe verdâtre 120
Chenille à houppes blanches 55
Chenille à houppes du pin 56
Chenille à houppes grises de l'épinette .. 54
Chenille à houppes rousses 53

Diprion du sapin 157
Diprion européen de l'épinette 151
Fausse arpenteuse de la pruche 80
Féralie joyeuse 121
Lexis bicolore 71
Mineuse rosée de l'épinette 25
Mouche à scie à tête jaune de l'épinette 152
Mouche à scie à tête verte de l'épinette 153
Mouche à scie du sapin 157
Mouche à scie européenne de l'épinette 151
Nématocampe 76
Noctuelle marbrée de l'épinette 57
Noctuelle sans nom 124
Orthosie verte 122
Pyrale des cônes de l'épinette 132
Spongieuse 66
Tenthrède à tête jaune de l'épinette 152
Tenthrède à tête verte de l'épinette 153
Tordeuse à tête noire de l'épinette 49
Tordeuse de l'épinette 48
Tordeuse des bourgeons de l'épinette 133

Mélèze Arlequin du sapin 134
Arpenteuse bossue de la pruche 86
Arpenteuse de la pruche 88
Arpenteuse dodue 87
Arpenteuse du pin 85
Arpenteuse grise de l'épinette 91
Arpenteuse perlée 90
Arpenteuse sombre 81
Chenille à houppes blanches 55
Chenille à houppes du pin 56
Chenille à houppes rousses 53
Fausse arpenteuse de la pruche 80
Féralie joyeuse 121
Mouche à scie du mélèze 158
Nématocampe 76
Noctuelle marbrée de l'épinette 57
Noctuelle ornée 123
Porte-case du mélèze 24
Pyrale des cônes de l'épinette 132
Spongieuse 66
Tenthrède du mélèze 158
Tordeuse des bourgeons de l'épinette 133
Tordeuse du mélèze 131

Pins Arlequin du sapin 134
Arpenteuse bossue de la pruche 86
Arpenteuse de la pruche 88
Arpenteuse dodue 87

Arpenteuse du pin 85
Arpenteuse grise de l'épinette 91
Arpenteuse sombre 81
Autographe verdâtre 120
Chenille à houppes blanches 55
Chenille à houppes du pin 56
Chenille à houppes grises de l'épinette . . 54
Chenille à houppes rousses 53
Diprion à tête rouge du pin gris 154
Diprion de LeConte 161
Diprion de Swaine 155
Diprion du pin blanc 160
Diprion du pin de pépinière 156
Diprion importé du pin 159
Fausse arpenteuse de la pruche 80
Lexis bicolore 71
Mouche à scie à tête rouge du pin gris . . . 154
Mouche à scie de LeConte 161
Mouche à scie du pin blanc 160
Mouche à scie du pin de pépinière 156
Mouche à scie du pin gris de Swaine 155
Mouche à scie importée du pin 159
Noctuelle du pin blanc 58
Noctuelle marbrée de l'épinette 57
Spongieuse 66
Tordeuse des bourgeons de l'épinette . . . 133

Pruche
Arlequin du sapin 134
Arpenteuse bituberculée 93
Arpenteuse bossue de la pruche 86
Arpenteuse de la pruche 88
Arpenteuse dodue 87
Arpenteuse grise de l'épinette 91
Chenille à houppes rousses 53
Fausse arpenteuse de la pruche 80
Féralie joyeuse 121
Lexis bicolore 71
Noctuelle sans nom 124
Spongieuse 66
Tordeuse des bourgeons de l'épinette . . . 133

Sapin
Arlequin du sapin 134
Arpenteuse bituberculée 93
Arpenteuse bossue de la pruche 86
Arpenteuse brune du tremble 92
Arpenteuse de la pruche 88
Arpenteuse dodue 87
Arpenteuse du pin 85
Arpenteuse grise de l'épinette 91
Arpenteuse perlée 90

Arpenteuse sombre 81
Autographe à rectangle 119
Autographe verdâtre 120
Chenille à houppes blanches 55
Chenille à houppes du pin 56
Chenille à houppes grises de l'épinette .. 54
Chenille à houppes rousses 53
Diprion du sapin 157
Fausse arpenteuse de la pruche 80
Féralie joyeuse 121
Lexis bicolore 71
Mouche à scie du sapin 157
Nématocampe 76
Noctuelle marbrée de l'épinette 57
Noctuelle sans nom 124
Pyrale des cônes de l'épinette 132
Spongieuse 66
Tordeuse à tête noire de l'épinette 49
Tordeuse de l'épinette 48
Tordeuse des bourgeons de l'épinette ... 133

Index II

Principaux insectes défoliateurs des arbres du Québec

Abbottana clemataria J.E. Smith 93
Acleris logiana L. 38
Acleris nigrolinea Rob. 43
Acleris variana (Fern.) 49
Acrobasis betulella Hulst 46
Acronicta americana (Harr.) 60
Acronicta dactylina (Grote) 61
Acronicta fragilis (Guen.) 70
Acronicta lepusculina Guen. 59
Acronycte d'Amérique 60
Acronycte de l'aulne 61
Acronycte du tremble 59
Acronycte fragile 70
Alsophila pometaria (Harr.) 96
Amphipyra pyramidoides Guen. 108
Anacampsis innocuella Zell. 35
Anacamptodes ephyraria Wlk. 89
Anisota virginiensis (Drury) 110
Anisote de l'érable 109

Anisote rose du chêne 110
Antheraea polyphemus (Cram.) 106
Archips argyrospilus (Wlk.) 42
Archips cerasivoranus (Fitch) 32
Arctiide du Canada 72
Arlequin du sapin 134
Arpenteuse à taches triangulaires 89
Arpenteuse bi-épineuse 75
Arpenteuse bituberculée 93
Arpenteuse bossue de la pruche 86
Arpenteuse brune du tremble 92
Arpenteuse d'automne 96
Arpenteuse de la pruche 88
Arpenteuse de l'orme 95
Arpenteuse dodue 87
Arpenteuse du pin 85
Arpenteuse du tilleul 83
Arpenteuse grise de l'épinette 91
Arpenteuse grise du tremble 79
Arpenteuse nouée 94
Arpenteuse perlée 90
Arpenteuse sombre 81
Arpenteuse verte élancée 82
Autographe à rectangle 119
Autographe verdâtre 120

Campaea perlata Guen. 90
Caripeta divisata Wlk 91
Catocala unijuga Wlk. 127
Cécropia 105
Cenopis acerivorana Mack 41
Chenille à bosse rouge 102
Chenille à col jaune 67
Chenille à houppes blanches 55
Chenille à houppes du pin 56
Chenille à houppes grises de l'épinette 54
Chenille à houppes rousses 53
Chenille à joues noires 113
Chenille à tente estivale 31
Chenille épineuse de l'orme 104
Chenille licorne 101
Chenille pointillée 115
Chenille verte du chêne 117
Choristoneura conflictana (Wlk.) 44
Choristoneura fumiferana (Clem.) 133
Choristoneura rosaceana (Harr.) 40
Chrysomèle versicolore du saule 171
Cimbex americana Leach 147
Coleophora fuscedinella Zell. 23

Coleophora laricella (Hbn.) 24
Compsolechia niveopulvella Chamb. 36
Crocigrapha normani (Grote) 128

Dasychira plagiata (Wlk.) 56
Datana ministra (Drury) 67
Découpure 116
Depressaria betulella Busck 37
Deuteronomos magnarius (Guen.) 94
Dioryctria reniculelloides Mut. et Mun. 132
Diprion à tête rouge du pin gris 154
Diprion de LeConte 161
Diprion de Swaine 155
Diprion du pin blanc 160
Diprion du pin de pépinière 156
Diprion du sapin 157
Diprion européen de l'épinette 151
Diprion frutetorum (F.) 156
Diprion hercyniae (Htg.) 151
Diprion importé du pin 159
Diprion similis (Htg.) 159
Dryocampa rubicunda rubicunda (F.) 109
Dysstroma citrata Linn. 82

Ectropis crepuscularia (Schiff.) 86
Elaphria versicolor (Grote) 134
Enargia decolor (Wlk.) 118
Ennomos subsignarius (Hbn.) 95
Enrouleuse à tête brune 36
Enrouleuse à tête noire 35
Enrouleuse à traits noirs 43
Enrouleuse de l'érable 41
Enrouleuse du tremble 45
Enrouleuse du peuplier 39
Epinotia aceriella Clem. 47
Erannis tiliaria (Harr.) 83

Fausse arpenteuse de la pruche 80
Fenusa pusilla (Lep.) 141
Feralia jocosa (Guen.) 121
Féralie joyeuse 121

Géomètre moucheté 84
Géomètre noir du bouleau 97

Heterocampa biundata Wlk. 125
Heterocampa guttivitta (Wlk.) 126
Hétérocampe biondulée 125
Hétérocampe de l'érable 126
Hyalophora cecropia (L.) 105
Hypagyrtis piniata (Pack.) 85
Hyphantria cunea (Drury) 31

Ichthyura albosigma Fitch 135
Ipimorpha pleonectusa Grote 113
Itame exauspicata Wlk. 84
Itame loricaria (Eversmann) 79

Lambdina fiscellaria fiscellaria (Guen.) 88
Lexis bicolor (Grote) 71
Lexis bicolore 71
Likenée rougeâtre 127
Limenitis archippus (Cram.) 103
Lithocolletis aceriella Clem. 21
Lithophane innominata Smith 124
Lithophane thaxteri Grt. 123
Livrée d'Amérique 29
Livrée de l'Ouest 30
Livrée des forêts 65
Lymantria dispar (L.) 66

Malacosoma americanum (F.) 29
Malacosoma californicum pluviale (Dyar) 30
Malacosoma disstria Hbn. 65
Meroptera pravella (Grote) 45
Messa nana (Klug) 143
Mineuse de l'érable 21
Mineuse des feuilles du tremble 22
Mineuse rosée de l'épinette 25
Morrisonia confusa (Hbn.) 115
Mouche à scie à tête jaune de l'épinette 152
Mouche à scie à tête rouge du pin gris 154
Mouche à scie à tête verte de l'épinette 153
Mouche à scie de LeConte 161
Mouche à scie de l'orme 147
Mouche à scie du mélèze 158
Mouche à scie du pin blanc 160
Mouche à scie du pin de pépinière 156
Mouche à scie du pin gris de Swaine 154
Mouche à scie du sapin 157
Mouche à scie du sorbier 148
Mouche à scie européenne de l'épinette 151
Mouche à scie importée du pin 159

Nadata gibbosa (J.E. Smith) 117
Nematocampa filamentaria (Guen.) 76
Nématocampe 76
Neodiprion abietis (Harr.) 157
Neodiprion lecontei (Fitch) 161
Neodiprion pinetum (Nort.) 160
Neodiprion swainei Midd. 155
Neodiprion virginiana Roh. 154
Nepytia canosaria (Wlk.) 80

Noctuelle affligée 29
Noctuelle cuivrée 108
Noctuelle décolorée 118
Noctuelle du cerisier 128
Noctuelle du pin blanc 58
Noctuelle marbrée de l'épinette 57
Noctuelle ornée 123
Noctuelle sans nom 124
Notodonte luné 135
Nymphalis antiopa (L.) 104

Oecophore du bouleau 37
Orcheste du saule 167
Orgyia antiqua (L.) 53
Orgyia leucostigma (J.E. Smith) 55
Orgyia plagiata (Wlk.) 54
Orthosia hibisci Guen. 122
Orthosie verte 122

Pachysphinx modesta (Harr.) 107
Panthea acronyctoides (Wlk.) 57
Panthea furcilla Pack. 58
Papilio glaucus canadensis R. et J. 114
Papillon à épaulettes 68
Papillon satiné 69
Papillon tigré du Canada 114
Parasemia parthenos (Harr.) 72
Petite mineuse du bouleau 141
Phyllocnistis populiella (Chamb.) 22
Phyllodesma americana (Harr.) 68
Pikonema alaskensis (Roch.) 152
Pikonema dimmockii (Cress.) 153
Plagiodera versicolora (Laich.) 171
Polyphème d'Amérique 106
Porte-case du bouleau 23
Porte-case du mélèze 24
Pristiphora erichsonii (Htg.) 158
Pristiphora geniculata (Htg.) 148
Prochoerodes transversata Dru. 92
Profenusa thomsoni (Konow) 142
Protoboarmia porcelaria indicataria (Guen.) 87
Pulicalvaria piceaella (Kft.) 25
Pyrale des cônes de l'épinette 132
Pyrale tubicole du bouleau 46
Pyrrhia exprimens (Wlk.) 130
Pyrrhie bistrée 130
Rheumaptera hastata (L.) 97
Rhynchaenus rufipes (Lec.) 167

Schizura concinna (J.E. Smith) . . . .
Schizura unicornis (J.E. Smith) . . . .

Sciaphila duplex Wlshm. 39
Scoliopteryx libatrix (L.) 116
Semiothisa oweni Swett 81
Sicya macularia Harr. 75
Sphinx du peuplier 107
Spongieuse 66
Squeletteuse-trompette de l'érable 47
Stilpnotia salicis (L.) 69
Syngrapha rectangula (Kby.) 119
Syngrapha selecta (Wlk.) 120

Tenthrède à tête jaune de l'épinette 152
Tenthrède à tête verte de l'épinette 153
Tenthrède de l'orme 147
Tenthrède du mélèze 158
Tenthrède du sorbier 148
Tenthrède-mineuse de Thomson 142
Tenthrède-mineuse du bouleau 143
Tordeuse à bandes obliques 40
Tordeuse à tête noire de l'épinette 49
Tordeuse de l'épinette 48
Tordeuse des bourgeons de l'épinette 133
Tordeuse du cerisier 32
Tordeuse du mélèze 131
Tordeuse du pommier 42
Tordeuse du tremble 44
Tortricide des bouleaux 38

Vice-roi 103

Xylomyges dolosa Grote 129

Zeiraphera canadensis Mut. et Free. 48
Zeiraphera improbana (Wlk.) 131